成美堂出版

今年は ココ を押さえる！

数字にまつわる問題は王道

短い時間にどれだけ、速く、多くの問題を処理できるかが問われます。**計算・数列・数的推理**などの数字にまつわる問題は、毎年、適性検査の主流。

日本語能力は語意や文章構成が中心

国語の基礎知識が試されます。言葉の意味をしっかりと理解しているかがポイントです。

時事的要素も勉強しておこう

時事の常識的要素が隠れています。国内、国際の政治・経済にも目を向けてください。

●最近の高卒求人・求職者数の推移（各年3月卒業者）

卒業年	求人数(人)	求職者数(人)
2018	432,645	171,209
2019	476,699	171,114
2020	484,438	167,251
2021	386,325	146,314
2022	388,590	134,584
2023	443,980	127,074

（厚生労働省　新規学卒者の職業紹介状況）

この本の使い方

本書は、高校生の就職試験のための適性検査問題集です。適性検査には、さまざまな種類があります。まず、ここではたくさんの種類の概要を知ってください。企業によって出題される分野はいろいろだからです。

適性問題 は、①～⑯の分野に分かれています。①～⑯のうちどこから始めても大丈夫です。

例題……例題をよく読んでください。
基本的な問題、よくでる問題を掲げてあります。

↓

解き方のテクニック……問題の解き方を具体的にわかりやすく解説しています。
テクニックをマスターしましょう。

↓

解答……「解き方のテクニック」から導かれる「解答」をしっかり頭に入れてください。

↓

【例題】を一通りやったら、【練習問題】にチャレンジしましょう。適性検査試験に備えるには、数多くの問題をこなすことが一番です。時間をはかって練習してみるのもひとつの方法です。

常識問題 では、国語、数学、英語、社会の４教科の復習をしてみましょう。中学と高校の内容です。自分自身の力試しのつもりでやってみてください。適性検査のなかには、数多くの常識問題の要素が含まれているからです。

CONTENTS

目次

本書は原則として 2024 年 10 月 10 日時点の情報に基づいています。

適性検査で潜在能力をみる

就職試験では、企業側が受験者の人柄や潜在能力を知ろうと、いろいろな方法で臨んできます。そのひとつとして、適性検査試験は学力だけでは測ることのできない能力を見極めるために用いられています。一般的な職業適性はあるか、事務的能力はどの程度なのか、強みは何か、弱いところはどこなのかをチェックします。

問題の特徴は

- 複雑でひねった問題ではなく、単純な問題の繰り返し
- 数学的領域や国語的領域
- （制限時間内に与えられた）問題数が多い

攻略法は

- 正確さとスピードを身に付ける
- 問題はできるだけとばさないようにする（とばした部分は誤答とみなされる）
- 形式をしっかり覚えるための反復練習をする

適性検査は、その形式に慣れて、いかに短時間で正確な解答をするかが鍵になります。

適性問題

適性検査のさまざまな種類を知ってください。
すべての検査には正確さとすばやさが求められます。

- 1 計算
- 2 分類
- 3 置換
- 4 照合
- 5 図形
- 6 数的推理
- 7 数列
- 8 語意
- 9 文章構成
- 10 関係把握
- 11 クレペリン
- 12 判断推理
- 13 記憶
- 14 抹消・打点
- 15 論理的思考・流れ図
- 16 図表判断

適性問題
1

計算

ポイント

- 小学校高学年レベルの基本的な問題です
- 短時間にいかに多くの問題を正確にこなすかが問われます
- 反復練習を行い、暗算に慣れておきましょう

例題１ 次の計算を行い、出てきた答えの１桁目を答えなさい。ただし、印をつけたりメモしたりしないこと。

①２＋３＋５＋４＋９＋６＋２
②４＋３＋９＋８＋７＋１＋６
③６＋２＋５＋１＋８＋３＋７
④２＋９＋４＋８＋３＋３＋８
⑤４＋５＋１＋３＋９＋７＋６

解き方のテクニック

- すべて１桁の足し算である。
- 「印をつけたりメモしたりしないこと」とあるので、いろいろ工夫するよりもひたすらはじめから足していくほうが、ミスが少ない。
- 「出てきた答えの１桁目を答えなさい」とあるので、繰り上がりを無視して答えの１桁目と次の数を足していけば、スピードアップにつながる。

解答

①１　②８　③２　④７　⑤５

例題2 次の計算をしなさい。

①$3\times2-9\div3$　　②$7+8\div4-8$
③$7+12\div6-3\times3$　　④$4\times2-15\div5+14\div7$

解き方のテクニック

かけ算・割り算➡足し算・引き算の順に計算すればよい。

解答

①3　②1　③0　④7

例題3 次の計算の答えと同じものを選び、記号で答えなさい。

	A	B	C	D
①$3\times4-2$	$29-17$	$4+6$	5×3	$20\div4$
②$6+8\div4$	3×4	$45\div5$	$2+6$	$40-33$

解き方のテクニック

スピードアップのため、同じ答えがあればそれ以降は計算しない。

解答

①B　②C

例題４ 次の計算をしなさい。

① 　2390
　＋5664

② 　40983
　＋19506

③ 　5087
　－1693

④ 　91538
　－64958

⑤ 　249
　×　38

⑥ 　498
　×106

⑦ 12)900

⑧ 35)2170

⑨ 　31.5
　×　8.2

⑩ 　19.6
　×10.5

解き方のテクニック

小数のかけ算では、答えの小数点の位置に十分注意が必要である。

➡かけられる数とかける数の小数点以下にいくつ数字があるかに注意する。

```
   31.5    →小数点以下に数字が１つ
 ×  8.2    →小数点以下に数字が１つ
   630
 2520
 258.30    →位取りのため０も書く
```

↓小数点以下の数字は１＋１＝２つ

解答

①8054　②60489　③3394　④26580　⑤9462　⑥52788　⑦75　⑧62　⑨258.3　⑩205.8

例題5 次の計算の□に数字を入れなさい。

①5×4＋5－3＝2×9＋□×2－4
②7×□－8÷2＝8＋6÷2－1
③4÷2×5＋8＝□÷3＋3×5

④
```
  3□42
 +2759
 -----
  6201
```

⑤
```
  50□7
 -□818
 -----
  1189
```

⑥
```
     3□2
    ×547
    ----
    2□34
   1448
  1810
  ------
  198014
```

⑦
```
     26□
    ×□23
    ----
     801
    534
  1602
  ------
  166341
```

解き方のテクニック

①～③は□のないほうの式を先に計算し、その答えから□を求める。
➡移項するときは、＋は－、－は＋、×は÷、÷は×になる。
④、⑤は1の位から順に考えていけばすぐに解ける。
⑥3□2×4＝1448なので、3□2＝362　□＝6
⑦26□×3＝801なので、26□＝267　□＝7　よって、
1602÷267＝6

解答

①4　②2　③9　④4　⑤上から0、3　⑥同6、5　⑦同7、6

例題６　次の両辺を計算し、該当するものを下の手引きの中から選び、記号で答えなさい。

	左辺	右辺
①	6×2－3×4	7－8÷4－3
②	5＋3×2－9	9÷3＋5－7
③	4×7－6×5	4－8÷2＋1
④	7－2×4＋2	6÷3－3＋1

（手引き）
A　左辺が右辺より大きく、かついずれも正の数。
B　左辺が右辺より小さく、かついずれも正の数。
C　左辺が右辺より大きく、かつ右辺は０または負の数。
D　左辺が右辺より小さく、かつ左辺は０または負の数。

解き方のテクニック

●計算と分類の複合問題である。
●左辺と右辺をそれぞれ計算し、その答えが手引きのどれにあてはまるかを判断する。
●手引きを次のように記号で表しておくとわかりやすい。

➡A　左辺＞右辺、左辺・右辺＞0
B　左辺＜右辺、左辺・右辺＞0
C　左辺＞右辺、右辺≦0
D　左辺＜右辺、左辺≦0

解答

①D　②A　③D　④C

例題７ 次の集計表の数字は１か所だけ間違っている。間違っている数字に×をつけなさい。

①

3	8	7	18
5	1	6	12
4	9	2	15
8	4	1	13
20	22	15	58

②

5	9	3	17
1	7	6	14
8	4	2	14
7	5	9	20
21	25	19	65

解き方のテクニック

集計表では、縦、横に並んだ数の合計をそれぞれ求め、総計を右下に書く。➡１つずつ合計を求めて判断するしかない。

①縦の合計の「15」が違っているだけなので、計算すればすぐに答えがわかる。

②縦の合計の「19」と横の合計の「20」の両方が違っている。

➡「数字は１か所だけ間違っている」とあるので、違っているのは、並んでいる数のうち、縦の合計の「19」の列と、横の合計の「20」の行の交点にある９であることがわかる。

5	9	3	17
1	7	6	14
8	4	2	14
7	5	⑨←	20
21	25	19	65

➡必ずしも合計が間違っているとは限らないので、すべての合計を計算しておくこと。

解答

×の位置　①縦の合計の15　②上から４行目、左から３列目の９

計算

1 次の計算をしなさい。

① $3+5-7$
② $9-6+4$
③ $2+8-4$
④ $8-5+1$
⑤ $5+1-6+9$
⑥ $7-3+2-4$
⑦ $4-3+8-2$
⑧ $6+4-9+3$
⑨ $8-5+7-3$
⑩ $9+2-3-5$
⑪ $15-9+2$
⑫ $24-8-9$
⑬ $26+1+3-9$
⑭ $55-4+9-8$

2 次の計算をしなさい。

① $4\times5-9\times2$
② $6\times3-10\div2$
③ $9-3\times2+6$
④ $4+2\times2-5$
⑤ $7+1\times3-8$
⑥ $12\div2-6\div3$
⑦ $8-24\div6+5$
⑧ $16\div4+28\div7$
⑨ $9\div3-2+4\times2$
⑩ $7\times2-2\times5+6$
⑪ $14\div7+3\times2-7$
⑫ $6+15\div5-7+4$
⑬ $9-24\div8-2\times2$
⑭ $36\div4-2\times4+3$

3 次の計算を行い、出てきた答えの１桁目を答えなさい。ただし、印をつけたりメモしたりしないこと。

①３＋５＋８＋１＋６＋４＋７＋１

②９＋２＋４＋８＋６＋１＋２＋８

③７＋２＋９＋８＋３＋５＋１＋４

④６＋５＋８＋７＋１＋３＋６＋２

⑤５＋４＋７＋１＋８＋７＋９＋３

⑥４＋９＋１＋２＋９＋３＋５＋６

⑦１＋５＋９＋８＋５＋２＋６＋４

⑧２＋９＋８＋５＋７＋３＋４＋６

⑨８＋３＋６＋９＋７＋１＋８＋３

⑩９＋６＋８＋５＋７＋４＋１＋２

解答・解説

1 ①１　②７　③６　④４　⑤９　⑥２　⑦７　⑧４　⑨７　⑩３
⑪８　⑫７　⑬21　⑭52

2 ①２　②13　③９　④３　⑤２　⑥４　⑦９　⑧８　⑨９　⑩10
⑪１　⑫６　⑬２　⑭４

3 ①５　②０　③９　④８　⑤４　⑥９　⑦０　⑧４　⑨５　⑩２

4 次の計算の答えと同じものを選び、記号で答えなさい。

	A	B	C	D
① $3\times6-4$	$7+8$	$24\div2$	2×7	$30-15$
② $2+9\div3$	$9-4$	3×2	$8\div2$	$1+3$
③ $5+8\div2$	4×2	$14\div2$	$3+7$	$15-6$
④ $10-2\times4$	$18\div6$	$1+1$	$9-6$	3×2
⑤ $7\times2-4$	5×2	$3+6$	$18\div2$	$18-9$

5 次の計算をしなさい。

① $\begin{array}{r} 349 \\ +253 \\ \hline \end{array}$

② $\begin{array}{r} 582 \\ +467 \\ \hline \end{array}$

③ $\begin{array}{r} 1392 \\ +2635 \\ \hline \end{array}$

④ $\begin{array}{r} 7283 \\ +4747 \\ \hline \end{array}$

⑤ $\begin{array}{r} 254 \\ 158 \\ +306 \\ \hline \end{array}$

⑥ $\begin{array}{r} 683 \\ 359 \\ +178 \\ \hline \end{array}$

⑦ $\begin{array}{r} 539 \\ -186 \\ \hline \end{array}$

⑧ $\begin{array}{r} 408 \\ -329 \\ \hline \end{array}$

⑨ $\begin{array}{r} 4713 \\ -2924 \\ \hline \end{array}$

6 次の計算をしなさい。

① 498×37

② 654×29

③ 308×196

④ 728×205

⑤ $345 \div 23$

⑥ $756 \div 42$

⑦ $3876 \div 57$

⑧ $2964 \div 38$

⑨ 13.3×2.6

⑩ 29.5×37.2

解答・解説

4 ①C ②A ③D ④B ⑤A

5 ①602 ②1049 ③4027 ④12030 ⑤718 ⑥1220
⑦353 ⑧79 ⑨1789

6 ①18426 ②18966 ③60368 ④149240 ⑤15 ⑥18
⑦68 ⑧78 ⑨34.58 ⑩1097.4

7 次の式をそれぞれ計算し、出た答えのうちで最も大きいものを選び、記号で答えなさい。

	A	B	C	D
①	8＋3＋2	9＋4＋1	6＋7＋2	7＋5＋4
②	7＋5＋1	4＋8＋3	9＋3＋1	3＋6＋5
③	1＋9＋7	7＋4＋5	8＋4＋4	6＋7＋5
④	5＋6＋2	4＋9＋1	6＋1＋7	8＋2＋5
⑤	2＋6＋7	1＋8＋6	4＋7＋5	5＋3＋6
⑥	5＋8＋4	2＋7＋5	5＋1＋9	4＋6＋3
⑦	9＋2＋3	1＋5＋7	4＋5＋6	6＋3＋4

8 次の計算の□に数字を入れなさい。

①4×□－8÷4＝2＋3×5－7

②8－2×2＋5＝6×□－5×3

③□÷3＋2×4＝7＋4×2－4

④6＋9÷3－3＝2×5－□×2

⑤

$$\begin{array}{r} 2876 \\ +1\square 45 \\ \hline 4021 \end{array}$$

⑥

$$\begin{array}{r} 7613 \\ -23\square 4 \\ \hline 5219 \end{array}$$

9 次の計算の□に数字を入れなさい。

①
```
     3□6
    ×257
    2142
   1530
   6□2
   78642
```

②
```
      29□
     ×4□2
      596
     894
   1192
   128736
```

③
```
     67□
    ×235
    3370
   2□22
  1348
  158390
```

④
```
      5□9
     ×□12
     1098
     549
   1647
   171288
```

⑤
```
     □82
    ×4□6
    4692
   2346
  3128
  340952
```

⑥
```
      19□
     ×5□3
      591
    1182
    985
   110911
```

解答・解説

7 ①D　②B　③D　④D　⑤C　⑥A　⑦C

8 ①3　②4　③9　④2　⑤1　⑥9

9 ①上から0、1　②上から8、3　③上から4、0
④上から4、3　⑤上から7、3　⑥上から7、6

10 次の両辺を計算し、該当するものを下の手引きの中から選び、記号で答えなさい。

	左辺	右辺
①	5 × 4 − 8 × 2	2 × 3 − 4 × 2
②	4 ÷ 2 × 3 − 7	5 × 2 − 3 × 3
③	8 ÷ 4 × 2 − 3	7 − 4 × 2 + 5
④	6 × 4 ÷ 3 − 9	9 − 3 × 4 + 5
⑤	8 × 7 − 9 × 6	4 × 4 ÷ 8 − 3
⑥	6 × 3 ÷ 9 − 1	6 × 4 − 7 × 3
⑦	9 − 8 ÷ 2 − 3	9 × 2 − 4 × 4

（手引き）

A　左辺が右辺より大きく、かついずれも正の数。
B　左辺が右辺より小さく、かついずれも正の数。
C　左辺が右辺より大きく、かつ右辺は0または負の数。
D　左辺が右辺より小さく、かつ左辺は0または負の数。
E　右辺と左辺が等しい。

11 次の両辺を計算し、該当するものを下の手引きの中から選び、記号で答えなさい。

（手引き）

A	B	C	D	E
7 〜 12	19 〜 24	25 〜 30	0 〜 6	13 〜 18

①3 × 5 − 4 × 2　　②7 × 7 − 3 × 8

③8 × 6 ÷ 4 + 9　　④4 × 3 ÷ 6 + 4

⑤9 × 5 − 8 × 2　　⑥6 × 4 ÷ 3 + 5

12 次の集計表の数字は１か所だけ間違っている。間違っている数字に×をつけなさい。

①

3	8	4	15
6	2	7	14
9	1	5	15
7	4	8	19
25	15	24	64

②

5	2	9	16
4	9	3	16
7	1	8	16
6	4	5	15
22	16	26	63

③

5	2	9	16
3	7	1	11
8	4	6	18
2	5	9	15
18	18	24	60

④

7	3	8	18
5	4	9	18
6	2	6	15
8	1	5	14
27	10	28	65

解答・解説

10 ①C　②D　③B　④D　⑤C　⑥B　⑦E

11 ①A　②C　③B　④D　⑤C　⑥E

12 ×の位置①横の計の14　②縦の計の26
③上から４行目、左から３列目の９
④上から３行目、左から１列目の６

[解説] ①横の計は15。　②縦の計は25。
③横の４行目の計は16。左から3列目の計は25。
➡この交点にある「９」は「８」になれば間違いが１か所になる。
④横の３行目の計は14。左から１列目の計は26。
➡この交点にある「６」が「７」になれば間違いが１か所になる。

適性問題
2

分類

ポイント

- 手引きに従って、文字や数字、図形などを分類します
- コツをつかんで、いかに速く正確に作業できるかがポイント
- ここにあげたいくつかのパターンに慣れておけば簡単に解けます

例題1 次の数字を手引きに従って分類し、記号で答えなさい。

（手引き）

A	B	C	D
2975～3549 4272～5037	1302～2167 6744～7523	3550～4271 5895～6743	2168～2974 5038～5894

①3950　②6302　③1548　④4250　⑤2164
⑥5030　⑦3729　⑧2392　⑨6497　⑩7098

解き方のテクニック

- 単純な規則によって分類するものであるが、手引きの数字が順番に並んでいないので注意が必要である。
- あわてずに千の位の数字から順に比べていけば、簡単に答えることができる。

解答

①C　②C　③B　④C　⑤B　⑥A　⑦C　⑧D　⑨C　⑩B

例題2 次の図形は手引きのどこに分類されるか。記号で答えなさい。

（手引き）

A	B	C	D	E
○△×□ △□○× ×○□△	△×○□ □○△× ○□×△	×□△○ □△×○ △○□×	○□△× ×△□○ □○×△	□×○△ △○×□ ×○△□

①○□△×　②△○×□　③×○□△　④□○×△

解き方のテクニック ★

まず頭から２つの図形を覚えて手引きから探そう。

解答

①D　②E　③A　④D

例題3 次の３つの言葉の最初の文字のうち、五十音順でいちばん早く出てくる文字は、手引きのどこに分類されるか。記号で答えなさい。

（手引き）

A	B	C	D	E
あ～き	く～せ	そ～に	ぬ～み	む～ん

①さくら　きく　パンジー
②ベルト　セーター　くつ
③とかげ　ねこ　チーター

解き方のテクニック

２段階の作業になるが、慣れておけばすぐに答えられるようになる。濁音や半濁音のものは、それのない文字で比べる。

➡「パ」は「は」、「ベ」は「へ」と考える。

解答

①A　②B　③C

例題４　次の記号を手引きに従って分類し、あてはまるカタカナを答えなさい。

（手引き）

	ア	イ	ウ	エ	オ
A	6470	4109	6821	4758	5127
B	6130	4754	5425	4824	6478
C	4107	6180	4842	6812	5422

①4842 C　②6130 B　③4109 A
④5422 C　⑤6821 A　⑥4754 B

解き方のテクニック

よく似た数字が並んでいるので、まずアルファベットから選べば、選択肢が５つになり、すばやく解答できる。

解答

①ウ　②ア　③イ　④オ　⑤ウ　⑥イ

例題5 次のひらがなを手引きに従って分類し、記号で答えなさい。

（手引き）

A	B	C	D
はめるか	はけると	こなるめ	やさえふ
こななる	にくうの	らしやぬ	くにのう
やちゆえ	らちきれ	かみらわ	さねわふ
にくうわ	さぬふれ	にぬろか	すやれお
かみるね	やすおれ	さわれふ	きふれぬ
きれふわ	くにおう	すやわお	はきえわ
くなおふ	やさえう	こねろぬ	きれうわ
はふうお	さえあう	やおすれ	はうくお

①さねわふ　②らちきれ　③はめるか
④らしやぬ　⑤やすおれ　⑥にくうの
⑦かみるね　⑧にぬろか　⑨すやわお
⑩きれふわ　⑪くにおう　⑫はうくお

解き方のテクニック

意味のない言葉が４つに分類されている。このため、４つの文字を正しく覚えるのはなかなか大変で、ミスにつながりやすい。
➡最初の文字が同じものを選び、その中から次の文字が同じものを探していったほうが、結果として速くて正確である。
意味のない単語なので、単純ミスに気をつけよう。

解答

①D　②B　③A　④C　⑤B　⑥B　⑦A　⑧C　⑨C　⑩A
⑪B　⑫D

分類

1 次の数字を手引きに従って分類し、記号で答えなさい。

（手引き）

A	B	C	D
1260～1439 2257～2578 3124～3306	1087～1259 2736～2968 3307～3546	1440～1752 2004～2256 3813～3998	1753～1999 2579～2735 3547～3812

①2540　②1832　③3302　④2780
⑤3642　⑥1442　⑦3548　⑧2542
⑨2364　⑩3812　⑪2007　⑫1267
⑬1258　⑭3436　⑮1546　⑯2683
⑰3421　⑱2867　⑲1342　⑳2516

2 次のアルファベットを手引きに従って分類し、記号で答えなさい。

（手引き）

A	B	C	D	E
B P K W M W I S E Q O R X W D V K O L M	M I W R X W V F K D L F B C K W E D Q C	K D F L B P W K X V W N M W I R X V H D	E O Q C K O N L B K W P E Q C O M I R W	X V D H E Q O C M I V S K D E L B K P W

①K D L F　②X V D H　③B K W P
④E Q C O　⑤K O N L　⑥M W I S
⑦X W V F　⑧M I V S　⑨E D Q C

3 次のひらがなを手引きに従って分類し、記号で答えなさい。

（手引き）

A	B	C	D	E
てふるわ へもうめ あくそる きわめえ やうしろ	あくそろ やうしる へおうぬ てうるね きねめへ	やむしろ きわぬえ てふわる へおふめ あうそる	へもすめ てうろわ きねぬえ やむしる てふろわ	きわめへ あうおる やむいろ あうそろ へもめす

①へおふめ　②きわめへ　③やうしろ
④てふわる　⑤あうおる　⑥きねぬえ
⑦やむいろ　⑧てうろわ　⑨あくそる
⑩へもすめ　⑪きわぬえ　⑫てうるね

解答・解説

1 ①A　②D　③A　④B　⑤D　⑥C　⑦D　⑧A　⑨A　⑩D
⑪C　⑫A　⑬B　⑭B　⑮C　⑯D　⑰B　⑱B　⑲A　⑳A

2 ①B　②E　③D　④D　⑤D　⑥A　⑦B　⑧E　⑨B

[解説] 最初の文字は「B」「M」「K」「E」「X」の５種類なのですぐに区別がつく。
➡あとの文字は同じ文字でも並び方が違っていたり、よく似た形の文字だったりするので、十分注意が必要である。

3 ①C　②E　③A　④C　⑤E　⑥D　⑦E　⑧D　⑨A　⑩D
⑪C　⑫B

4 次の語句を手引きに従って分類し、記号で答えなさい。

（手引き）

A	B	C	D
営業部 吉田部長 山口 内線0201	経理部 鈴木部長 田中 内線0498	人事部 中村部長 小泉 内線0533	制作部 山田部長 佐藤 内線0376

①山田部長　　②人事部
③内線0201　　④制作部
⑤鈴木部長　　⑥佐藤
⑦内線0533　　⑧山口
⑨吉田部長　　⑩経理部
⑪内線0376　　⑫田中

5 次の図形は手引きのどこに分類されるか。記号で答えなさい。

（手引き）

A	B	C	D
▲◎■◇ ◎▲◇■ ■◎▲◇ ◇◎■▲	◎▲■◇ ◇◎▲■ ▲■◇◎ ■◇▲◎	■▲◎◇ ▲◇■◎ ◇▲◎■ ◎◇■▲	◇■◎▲ ■◎◇▲ ◎■▲◇ ▲◎◇■

①■◇▲◎　　②◎▲◇■
③◎■▲◇　　④■▲◎◇
⑤▲◎◇■　　⑥◇▲◎■
⑦◇◎■▲　　⑧▲■◇◎
⑨■◎▲◇　　⑩◎▲■◇
⑪◇■◎▲　　⑫▲◇■◎

6 次の項目を手引きに従って分類し、記号で答えなさい。

（手引き）

A	B	C	D	E
ＡＱＯＶ	えめるそ	かねまう	●□▽◆	まおうめ
かわまふ	まほふめ	□●▽◆	えめろそ	ＡＯＱＷ
●□◆▽	かねうま	ＡＯＱＶ	まおふぬ	えめそろ
まおめう	□●◆▽	えぬるそ	ＡＱＶＯ	かわうま
えめそる	ＡＱＯＷ	まほめう	かねまふ	◆□●▽

①ＡＱＶＯ　②まおめう
③えめるそ　④□●▽◆
⑤かねまふ　⑥まほふめ
⑦えめそろ　⑧かねまう
⑨◆□●▽　⑩ＡＯＱＷ
⑪まほめう　⑫えめそる

解答・解説

4 ①D　②C　③A　④D　⑤B　⑥D　⑦C　⑧A　⑨A　⑩B　⑪D　⑫B

5 ①B　②A　③D　④C　⑤D　⑥C　⑦A　⑧B　⑨A　⑩B　⑪D　⑫C

6 ①D　②A　③B　④C　⑤D　⑥B　⑦E　⑧C　⑨E　⑩E　⑪C　⑫A

［解説］ひらがなと図形、アルファベットが混じっているのでとても煩雑（はんざつ）に見える。

➡この３種類は一見するだけで区別できるので、ひらがななど単独の問題に比べて選択肢が少なくなり、かえって速く解ける。

7 次の３つの言葉の最初の文字のうちで、五十音順でいちばん早く出てくる文字は、手引きのどこに分類されるか。記号で答えなさい。

（手引き）

A	B	C	D	E
あ〜く	け〜ち	つ〜ね	の〜む	め〜ん

①まぐろ　さば　たい
②ピーマン　かぼちゃ　だいこん
③ノート　ホッチキス　バインダー
④テレビ　れいぞうこ　ファックス
⑤わに　ろば　ライオン
⑥れんげ　りんどう　パンジー
⑦ようかん　プリン　まんじゅう
⑧みかん　すいか　マンゴー
⑨ドア　まど　カーテン
⑩もみ　プラタナス　いちょう

8 次の記号の組み合わせを手引きに従って分類し、Ａ〜Ｄの記号で答えなさい。

（手引き）

A	B	C	D
ＡＷ－２９ ６５－ｐｑ ＥＫ－７４ ３２－ｄｋ	ＯＳ－３６ ４０－ｄｋ ＶＣ－２９ ８１－ｐｑ	ＶＣ－９２ ８１－ｘｌ ＯＳ－３６ ６５－ｇｈ	ＥＫ－７４ ３２－ｇｈ ＡＷ－２４ ４０－ｘｌ

①ＯＳ－３６、６５－ｇｈ
②ＶＣ－２９、４０－ｄｋ
③ＥＫ－７４、４０－ｘｌ
④ＡＷ－２９、３２－ｄｋ

9 次の記号を手引きに従って分類し、あてはまるカタカナを答えなさい。

（手引き）

	ア	イ	ウ	エ	オ
A	6853	8369	6358	8359	6835
B	8963	6385	8653	6593	8935
C	6583	8536	6835	8396	6398
D	8635	6593	8696	6583	8653
E	6359	8356	6589	8635	6395

①6359 E　②8396 C　③6593 D
④8359 A　⑤8935 B　⑥6835 C
⑦8653 D　⑧8356 E　⑨6583 C
⑩6385 B　⑪8369 A　⑫6395 E

解答・解説

7 ①B　②A　③D　④C　⑤E　⑥D　⑦D　⑧B　⑨A　⑩A

8 ①C　②B　③D　④A

[解説] 手引きの中には記号が同じもの（この場合は「ＯＳ－３６」と「ＥＫ－７４」）もあるので、必ず両方の記号を調べておこう。

➡数字の部分だけが同じもの（この場合は２段目と４段目の数は同じものを使っている）もあるので、あわてずに調べていこう。

➡まずは、手引きをざっと見て同じ記号や数があるかどうかを確認してから問題に取り組もう。

9 ①ア　②エ　③イ　④エ　⑤オ　⑥ウ　⑦オ　⑧イ　⑨ア　⑩イ
⑪イ　⑫オ

適性問題
3

置換

ポイント

- 手引きに従って、数字や文字を別のものに置き換える問題
- 短時間で正確な処理ができるかどうかが問われます
- ふだん見慣れない問題なので十分に練習しておきましょう

例題 1 次のアルファベットを手引きに従って数字に正しく置き換えたものを選び、記号で答えなさい。

（手引き）

K = 4	X = 1	J = 6	D = 9	L = 2
C = 3	E = 8	F = 0	A = 5	N = 7

	A	B	C	D
①CJN	203	546	367	498
②KXF	145	410	264	835
③LAD	295	834	761	259
④CEK	105	386	904	384

選択肢を見ると、頭の数字がバラバラである。

➡与えられたアルファベットの１文字目を手引きに従って数字に置き換え、それを選択肢と比較したほうがスピードアップにつながる。

解答

①C　②B　③D　④D

例題2 次の記号を手引きに従って数字に正しく置き換えなさい。

（手引き）

◎	★	♂	▽	〒	＊	◆	$	＃	@
21	83	9	56	7	10	42	39	64	5

@	▽	＊	$	★	＃	〒	♂	◎	◆

解き方のテクニック

左から１つずつ入れていったほうが記入位置の間違いが少ない。

解答

左から、５、56、10、39、83、64、７、９、21、42

例題3 次の数字を手引きに従ってアルファベットに正しく置き換えたものを選び、記号で答えなさい。

（手引き）

4	7	1	9	5
8	3	0	6	2

D	N	X	E	S
Z	R	P	C	G

	A	B	C	D
①９７２	DNR	XZP	GEC	ENG
②３１６	RXC	NGE	PZD	XGN
③８０４	DGP	SEC	ZPD	NRE
④５１７	SXN	EZP	ECG	SXR
⑤２６８	GED	GCZ	GNP	GSX

解き方のテクニック

数字とアルファベットが別の表のため、対応がわかりにくい。
➡自分で０～９まで順番に並べた手引きを作っておくと、すばやく解くことができ、ミスも少ない。

解答

①D　②A　③C　④A　⑤B

例題４　次の式を計算し、答えの１の位の数字を手引きに従ってアルファベットに置き換えなさい。

（手引き）

4	0	1	9	5	3	8	2	7	6
B	Y	I	J	F	T	V	M	U	L

①3＋9＋1＋6＋4＋9＋5
②6＋7＋2＋8＋3＋4＋1
③7＋1＋8＋5＋4＋9＋6
④8＋3＋5＋9＋7＋1＋4
⑤2＋7＋6＋1＋4＋9＋3

解き方のテクニック

繰り上がりを無視して、答えの１の位と次の数を順番に足していく。
計算の答えが解答ではないので、置換することを忘れないように。

解答

①U　②I　③Y　④U　⑤M

例題5 次の手引きに従って計算した場合、答えが最大の項を選び、記号で答えなさい。

（手引き）

あ	か	さ	た	な	は	ま	や	ら	わ
8	3	1	9	5	7	4	6	2	0

	A	B	C	D
①	あ＋な	た－ら	ま×さ	わ＋か
②	は×や	た＋か	な－さ	あ÷ら
③	ま－わ	や÷か	ま＋あ	さ×ま
④	ら×さ	た－わ	か＋ま	や＋さ
⑤	な＋ら	か×わ	ら＋か	あ÷さ
⑥	ま＋か	な＋あ	や×は	さ×な
⑦	な×わ	た÷さ	ら＋や	あ－ま
⑧	や－さ	か×ら	あ－わ	さ＋ま
⑨	ま＋さ	や＋わ	な＋た	は＋ら

解き方のテクニック

かけ算や足し算のほうが引き算や割り算より答えが大きいと単純に考えてしまうと、ミスにつながる。

➡１つひとつひらがなを数字に置き換えて計算していく必要がある。

➡頭の中で考えていくよりも、数字に置き換えた式と答えを書きとめておいたほうがミスは少ない。

解答

①A　②A　③C　④B　⑤D　⑥C　⑦B　⑧C　⑨C

置換

1 次のアルファベットを手引きに従って数字に正しく置き換えたものを選び、記号で答えなさい。

（手引き）

A	G	C	B	E
J	O	D	W	L

2	8	0	5	3
6	9	4	7	1

	A	B	C	D	E
①WOA	209	461	857	792	634
②BEL	514	837	531	629	308
③WJG	768	419	687	205	427
④DCO	490	372	615	408	409

2 次のマークを手引きに従って数字に正しく置き換えたものを選び、記号で答えなさい。

（手引き）

@	*	#	☆	◎	♀	▽	%	$	?
2	7	4	9	6	1	0	8	5	3

	A	B	C	D
①#@♀▽	3981	5406	7214	4210
②☆%$?	9853	6172	7034	9426
③◎♀*%	3124	5037	6178	5931
④?$#@	2087	3542	2091	3769
⑤*▽☆♀	7091	7142	7053	7842

3 次の数字を手引きに従ってアルファベットに正しく置き換えたものを選び、記号で答えなさい。

（手引き）

1＝M	2＝Z	3＝P	4＝Q	5＝W
6＝H	7＝X	8＝B	9＝V	0＝I

	A	B	C	D	E
①364	HMB	QIP	HXV	ZQM	PHQ
②407	QIX	ZPW	MBV	HZP	XZI
③925	BQX	VZW	BIH	MPV	VQZ
④186	MXZ	QIH	QPB	MBH	WVI
⑤520	IZW	WZI	ZIW	WIZ	ZWI
⑥739	VQI	BXW	XPV	HMZ	WIH
⑦861	BWI	PZX	PQW	BHM	PHM

解答・解説

1 ①D　②C　③A　④E

[解説] 手引きでは、アルファベットと数字の対応がわかりにくくミスにつながりやすいので、自分で対応表を作ったほうがよい。

2 ①D　②A　③C　④B　⑤A

3 ①E　②A　③B　④D　⑤B　⑥C　⑦D

[解説] 置換の問題では、いきなり選択肢から探すのではなく、まず手引きに従って置き換えたのちに同じ選択肢を探したほうが確実である。

4 次の式を計算し、答えの１の位の数字を手引きに従ってアルファベットに置き換えなさい。

（手引き）

2	7	4	9	3	1	6	0	5	8
N	L	E	T	D	R	Y	S	C	U

①3＋1＋6＋8＋7＋4＋5

②4＋9＋3＋2＋6＋3＋5

③6＋7＋2＋5＋3＋9＋4

④5＋8＋4＋6＋1＋8＋3

⑤8＋9＋3＋5＋4＋7＋2

⑥7＋4＋2－8＋3＋5－9

⑦1＋3＋9－5＋2－6＋7

5 次の図形を手引きに従って数字に置き換えたとき、間違っているものを選び、記号で答えなさい。

（手引き）

▽	□	●	▲	◇	△	■	◆	○	▼
3	6	2	9	7	0	1	4	8	5

	A	B	C	D	E	F
①■△○□▼◇	1	0	8	6	4	7
②◇◆●▽□△	7	6	2	3	6	0
③▽○■▲●□	5	8	1	9	2	6
④●□▼○▽◆	2	6	5	8	9	4
⑤▲◇■○▼●	9	7	1	4	5	2

6 手引きに従ってアルファベットを数字に置き換えたとき、答えが偶数になる項はいくつあるか。

（手引き）

W	L	O	Z	J	F	N	I	K	E
4	8	6	0	7	3	5	2	9	1

①J－W　N×I　K÷F　Z＋O　E＋L

②L÷I　K－L　O＋F　J×N　Z＋E

③E×O　W－Z　F＋N　I＋K　O÷I

④W＋J　I×O　N×E　K－L　F＋Z

⑤F÷E　N－I　W＋J　K＋O　I－Z

⑥L÷W　J－F　I＋N　E＋L　K×O

⑦N＋Z　E＋W　F×I　O－N　K×L

解答・解説

4 ①E　②N　③Y　④C　⑤U　⑥E　⑦R

5 ①E　②B　③A　④E　⑤D

[解説] 図形の数が多いので、図形と数字が正しいものに印をつけていったほうが間違えにくい。慣れないうちは、まず図形を数字に置き換えてから選択肢と比べていったほうがミスが少ない。

6 ①2つ　②1つ　③3つ　④1つ　⑤1つ　⑥3つ　⑦2つ

[解説] それぞれの項の答えを小さく書き込んでおいて、最後に偶数の答えの数を数えればよい。

7 次の手引きに従って計算した場合、答えが最大の項を選び、記号で答えなさい。

（手引き）

ア	イ	ウ	エ	オ	カ	キ	ク	ケ	コ
3	8	5	1	0	2	4	9	6	7

	A	B	C	D	E
①	ア＋カ	イ－ケ	ク÷エ	オ＋キ	ウ×コ
②	キ－エ	ウ＋ケ	エ×コ	カ＋イ	ア＋オ
③	オ＋コ	ウ＋ア	ク÷エ	カ＋キ	イ－ケ
④	エ＋カ	イ÷エ	ク－ケ	ウ＋オ	カ×オ
⑤	コ＋ク	ア×キ	ウ＋イ	カ×エ	ケ＋ア
⑥	イ－オ	ウ＋エ	カ×ア	ク－ケ	コ×エ
⑦	ア＋エ	ケ＋オ	コ＋イ	エ＋ウ	キ＋カ

8 次の図を手引きに従って数字に置き換えて計算しなさい。ただし、答えが２桁になる場合は、１の位の数字のみを答えなさい。

（手引き）

□	○	☆
△	◇	◎
♡	▽	♧

5	9	6
8	4	1
2	3	7

①▽×♡÷☆　　②♧＋□×△

③○÷▽－◎　　④◇＋♡×☆

⑤□×♧－○　　⑥◎×△－♧

⑦△－☆÷♡　　⑧○＋▽÷◎

9 次の式を手引きに従って計算したとき、答えが最小になる項を選び、記号で答えなさい。

> ＞→＋　　＜→−　　＊→×　　＃→÷

	A	B	C	D	E
①	4＃2	8＜7	5＊3	5＞6	9＜4
②	7＜1	6＃2	8＞4	9＜7	3＊5
③	1＞9	5＜2	7＊3	8＃4	3＊1
④	4＊2	9＃3	7＜6	5＃1	9＞8
⑤	8＃2	5＜4	2＞1	7＊6	9＊3
⑥	4＜4	1＊3	5＃5	6＞5	8＊7
⑦	2＜1	5＞5	9＊0	8＃8	3＜4

解答・解説

7 ①E　②B　③C　④B　⑤A　⑥A　⑦C

8 ①1　②7　③2　④6　⑤6　⑥1　⑦5　⑧2

[解説] 足し算、引き算、かけ算、割り算の混ざった計算式である。
➡頭の中で置換すると間違えてしまうことが多いので、数字に置換した式を書き出してみよう。

9 ①B　②D　③D　④C　⑤B　⑥A　⑦E

[解説] 置換するのは４つだけなので、覚えてしまえば楽に解ける。

適性問題
4

照合

ポイント

- 似た２つの文章や数字などを比較する問題です
- 機械的に与えられたものを見比べていきましょう
- いくつかの図形から例と同じものを探すこともあります

例題１ 次の正本と副本とを比べて、正本と違う文字を含む副本中の記号を答えなさい。

	（正本）				（副本）			
	A	B	C	D	A	B	C	D
①	今日	の朝	刊で	は新	今日	の朝	刊で	は親
②	現状	では	回復	は困	現状	では	回複	は困
③	子供	たち	の未	来に	子供	たち	の末	来に
④	近年	外国	人に	よる	近年	外國	人に	よる
⑤	抗原	抗体	反応	では	抗原	抗休	反応	では
⑥	スポ	ーツ	観戦	が好	スボ	ーツ	観戦	が好
⑦	訪問	リフ	ォー	ムに	訪問	リフ	オー	ムに

解き方のテクニック

言語能力を調べる問題ではない。

➡知らない言葉が出てきても悩まずに、正本と副本を一文字一文字見比べて、違っている文字を探そう。

解答

①D　②C　③C　④B　⑤B　⑥A　⑦C

例題2 次の正本と副本を比べて、違っている文字数を答えなさい。

	正本	副本
①	明日になればきっといいことがあると信	明日になれはきつといいことがあると信
②	ニュースソースを明かすことはできない	ニュースリースを明かすことはできない
③	人寂しいのかその猫は足下にすり寄って	入寂しいのかその猫は足下にすり寄つて
④	29843M357Qと彫られたプレートを見つ	29843M357Oと彫られたプレートを見つ
⑤	石油価格の高騰に便乗して値上げを図っ	石油価格の高籘に便乗して値上げを図っ
⑥	胞胚はやがて嚢胚となり胚葉が分化して	抱胚はやがて嚢胚となり肺葉が分化して

解き方のテクニック

異なる文字は1つだけとは限らないので、前問よりもさらに注意力が必要である。

➡時間をかければそれだけ正解率も高くなるが、いかにスピードを上げられるかというのがポイント。

➡よく似た漢字や同じ読みの漢字などが出やすいので、複数の問題を解くことで問題に慣れておけば、すばやく違いを見つけることができる。

解答

①2　②1　③2　④1　⑤1　⑥2

例題３　左の図と同じものを右から選び、記号で答えなさい。

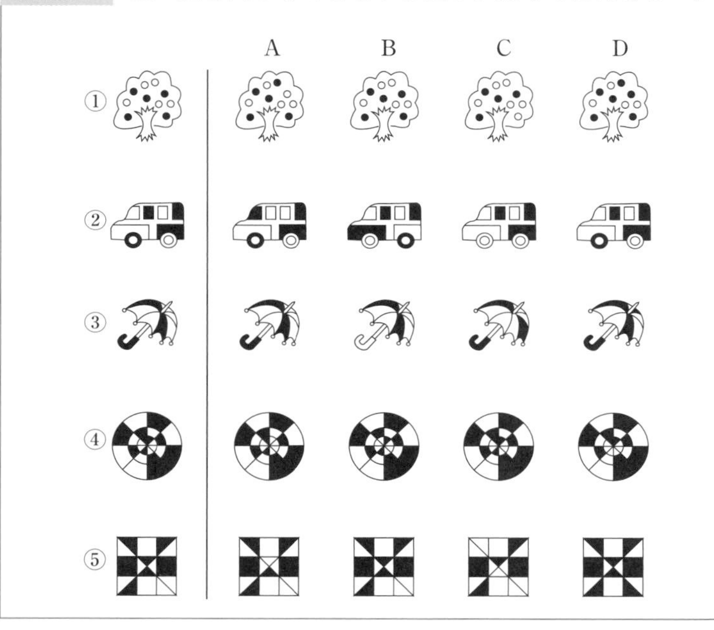

解き方のテクニック

この検査は同じ形をした図の模様の違いを探すもので、ぱっと見ただけでは違いに気づかないことが多い。

➡いくつかのパーツに分けて、色が塗られているかどうかを調べたほうが違いに気づきやすい。

解答

①B　②D　③A　④C　⑤B

例題４ 上の枠の図形とまったく同じ形をした図形を、下の枠の図形から選び、記号で答えなさい。

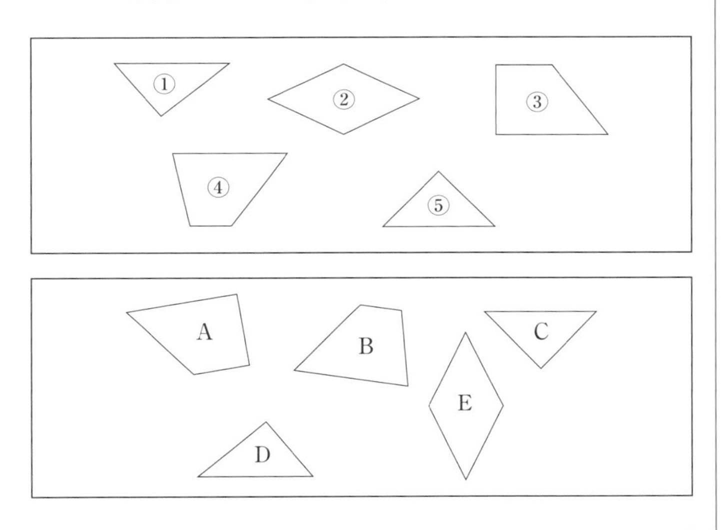

解き方のテクニック

ある形と同じ形を探すのではなく、多くの図形の中から同じ形を探すのでなかなかやっかいな問題である。

➡それぞれの角の角度や辺の長さなどに注意して選んでいく必要がある。

➡頭の中で、図形を回転させて同じような向きにして考えたほうがわかりやすい。

解答

①D　②E　③A　④B　⑤C

練習問題

照合

1 次の正本と副本を見比べて、同じ場合には○、違っている場合には×をつけなさい。

（正本）　　　　　　　　　（副本）

①宇宙航空研究開発機構――――宇宙航空研究開発機構

②サバイバルファクター――――サハイバルファクター

③国連人種差別撤廃委員会―――国連人種差別撤廃委員会

④閉塞性動脈硬化症―――――閉寒性動脈硬化症

⑤インテリアコーディネーター―インテリアコーディネター

⑥Deleteキー―――――――――Deleteキ－

⑦バーチャルリアリティー―――バーチヤルリアリティー

⑧ICT成長戦略推進会議　　　ICT成長戦略推進会議

⑨Program Files――――――Program Filse

2 次の正本と副本とを比べて、正本と違う文字を含む副本中の記号を答えなさい。

	（正本）				（副本）			
	A	B	C	D	A	B	C	D
①	厚生	労働	省は	新規	厚生	労動	省は	新規
②	大事	にな	る前	に早	大事	にな	ろ前	に早
③	同級	生の	中で	唯一	同級	生の	中て	唯一
④	条件	をも	とに	抽出	条件	をも	とに	袖出
⑤	学識	経験	者に	よる	学織	経験	者に	よる
⑥	酸素	や二	酸化	炭素	酸素	やニ	酸化	炭素
⑦	サイ	バー	攻撃	によ	サイ	パー	攻撃	によ
⑧	ダイ	アロ	グボ	ック	ダイ	ヤロ	グボ	ック

3 次の正本と副本を比べて、違っている文字を含むブロックを選び、記号で答えなさい。

(正本)

	A	B	C	D
①	化石燃料の 素酸化物に	大量消費に よる酸性雨	伴い、硫黄 が大きな問	酸化物や窒 題となって
②	数式を利用 るが数式が	して様々な 複雑になる	計算を行う と指定する	ことができ 数値が多く
③	労働安全衛 町村や健保	生法や健康 組合が健康	保険法など 診断を実施	に基づき市 しているが

(副本)

	A	B	C	D
①	化石然料の 素酸化物に	大量消費に よる酸性雨	伴い、硫黄 が大きな問	酸化物や窒 題となって
②	数式を利用 るが数式が	して様様な 複雑になる	計算を行う と指定する	ことができ 数値が多く
③	労働安全衛 町村や健保	生法や健康 組合が健康	保健法など 診断を実施	に基づき市 しているが

解答・解説

1 ①○　②×　③○　④×　⑤×　⑥×　⑦×　⑧○　⑨×

[解説]⑦、⑨文字が抜けていたり入れ替わっていたりすることが多い。

2 ①B　②C　③C　④D　⑤A　⑥B　⑦B　⑧B

3 ①A　②B　③C

4 次の正本と副本を比べて、違っている文字数を答えなさい。

	正本	副本
①	脊椎動物の中で鳥類と哺乳類だけが恒温動物で魚類、両生類、爬虫類は変温動物である	脊推動物の中で鳥類と補乳類だけは恒温動物で魚類、両生類、爬虫類は変温動物である
②	自給率が低く、多くの食料を輸入に頼っている現状を考えると、日本の農業政策におけ	自給率が低く、多くの食糧を輸人に頼つている現状を考えると、日本の農業政策におけ
③	被害者の失踪当時の足取りは末だに掴めていないが、電車を使った線が濃厚であると思	被害者の失踪当時の足どりは末だに梱めていないが、電車を使った腺が濃厚であると思
④	スーパーマーケットの前でばったり和子と出会ったが、和子は視線を合わせようとせず	スーパーマーケツトの前でばったり和子と出会ったが、和子は視線を会わせようとせず

5 次の正本と副本を比べて、違っている副本の文字を答えなさい。

	正本	副本
①	ファイルのプロパティには会社名、個人名などの情報が記	ファイルのプロバティには会社名、個人名などの情報が記
②	大相撲夏場所で全勝優勝を狙う横綱は小兵の力士を慎重に	大相模夏場所で全勝優勝を狙う横綱は小兵の力士を慎重に
③	ヨーロッパ各国・地域のサッカー協会を統括するUEFAは	ヨーロッパ各国・地域のサッカー協会を統括するVEFAは
④	官公庁が発注した橋梁工事の入札に談合していたとされる	官公庁が発柱した橋梁工事の入札に談合していたとされる
⑤	地球の赤道半径はおよそ6378.137kmで、回転楕円体に	地球の赤道半径はおよそ6378.139kmで、回転楕円体に

6 次の左右の語句を比べて、違っているものを選び、記号で答えなさい。

①A　針小棒大――針小棒大　　B　大器晩成――太器晩成
　C　臥薪嘗胆――臥薪嘗胆　　D　朝令暮改――朝令暮改

②A　豊臣秀吉――豊臣秀吉　　B　徳川家康――徳川家康
　C　武田信玄――武田信玄　　D　上杉謙信――上杉鎌信

③A　家庭料理――家庭料理　　B　通勤電車――通勤電車
　C　準備運動――準備運動　　D　睡眠時間――錘眠時間

④A　皆既日食――皆既日食　　B　浸食作用――浸食作用
　C　初期微動――初期徴動　　D　斑状組織――斑状組織

⑤A　国土交通省―国士交通省　　B　厚生労働省―厚生労働省
　C　農林水産省―農林水産省　　D　文部科学省―文部科学省

⑥A　N M W A――N M W A　　B　A G P V――A C P V
　C　J F L K――J F L K　　D　D Z X T――D Z X T

解答・解説

4 ①3　②3　③4　④2

5 ①バ　②模　③V　④柱　⑤9

[解説] 今までの問題と異なり、ここでは違う文字を答える。あわてていると、違う文字数を答えたりしがちなので、問題文をよく読んでどのような作業を行うのかよく理解しておこう。

6 ①B　②D　③D　④C　⑤A　⑥B

7 次の正本と副本を見比べて、漢字と数字が違っているときはA、漢字と記号が違っているときはB、数字と記号が違っているときはC、違っている文字が１つしかないときや１つもないときはDと答えなさい。

（正本）　　　　　　（副本）

①語儘優清烏瞳藤過閉———語儘優清烏瞳藤過閉
357902516———357902516
○□◇▽×△□◇○———○□◇▽×△□◇○

②遇祐錐索均信銘優想———遇祐錘索均信銘優想
204379165———204379165
□○◇△□○×△○———□○◇△□○×▽○

③隅酌頭胴盟問歓抱擦———隅酌頭銅盟問歓抱擦
509142978———509142678
◇×□○▽×◇△□———◇×□○▽×◇△□

④燻雄昨籐陽鞘累勅憾———燻雄昨籐陽鞘累勅憾
481369753———431369753
△○□◇○▽×◇△———△○□◇○◇×◇△

⑤翔躁壌罫姪類蛾庸覆———翔躁壌罫姪類餓庸覆
159436086———159486086
○□○▽◇△◇▽□———○□○▽◇△◇▽□

⑥姪瀬甥御湧櫂蝶累罫———姪瀬甥御湧櫂蝶累罫
420815369———420615369
□▽○△□◇△◇○———□▽○△□◇△◇○

8 次の漢字の列の中に、手引きに挙げられた漢字がいくつ含まれているか答えなさい。

（手引き）

濾	涙	潜	漸	湧	浦	濁	漁
液	涯	渓	涸	浣	渚	淑	済

①混　渉　涸　清　浄　涌　瀟　汨　淋　減
②泡　渦　減　渓　鴻　滋　湘　淑　漸　測
③浣　漢　潜　漠　溺　涯　湊　瀧　液　浦
④渕　漁　滝　滴　渚　漬　漆　漏　涸　漫
⑤潜　渕　涯　激　澄　濃　測　済　濯　瀬
⑥灌　湛　漑　液　湧　濫　濾　渚　浣　瀞
⑦濡　渓　潟　濱　漸　鴻　濠　浦　濁　澪
⑧激　潜　濁　淑　潔　済　漏　漫　浣　涙
⑨濾　漂　潤　湧　漁　潰　液　減　漣　溜
⑩滞　涙　濁　溺　源　鴻　溢　浣　淑　涌
⑪湊　渓　湖　洸　混　涸　澗　涼　渡　溢
⑫濾　鴻　濁　溺　滞　漁　涯　滴　漆　浸

解答・解説

7 ①D　②B　③A　④C　⑤A　⑥D

[解説] 違っている文字が１つしかないこともあるので、上の２つに１か所しか違いがなくても記号の列に異なるものがあるとは限らないので、確認が必要。しかし、上の２つに違いがなければ記号の列を比較する必要はない。

8 ①1つ　②3つ　③5つ　④3つ　⑤3つ　⑥5つ　⑦4つ
⑧6つ　⑨4つ　⑩4つ　⑪2つ　⑫4つ

[解説] 字画が多いので、１つずつ丁寧に見ていこう。

9 左の図と同じものを右から選び、記号で答えなさい。

A　B　C　D

①

②

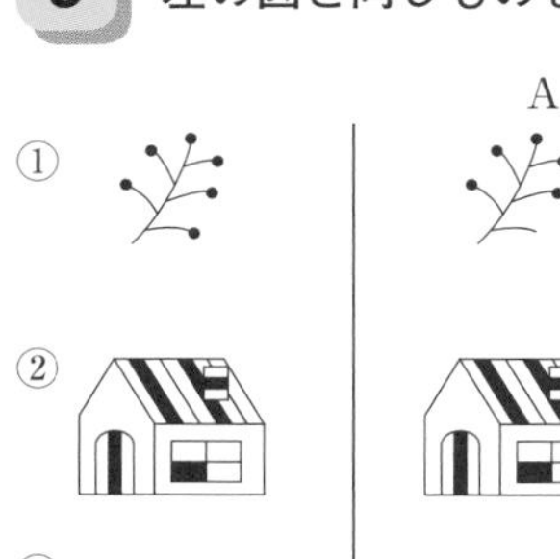

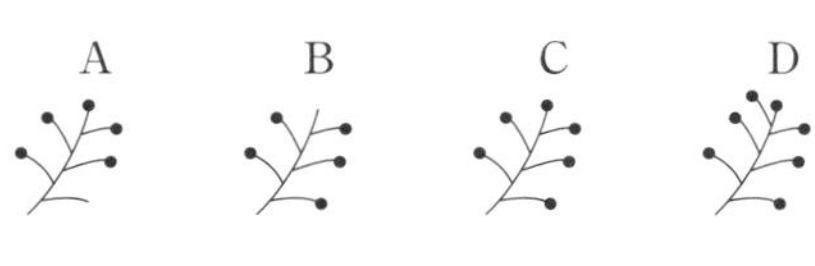

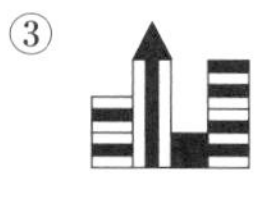

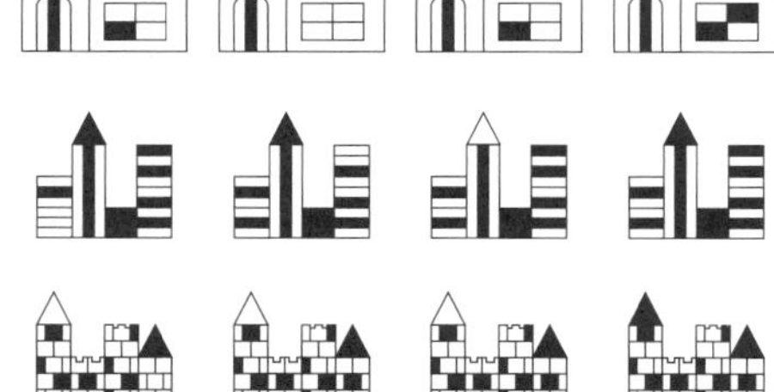

③

④

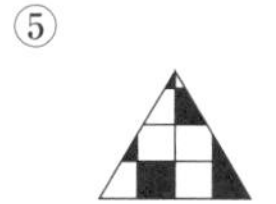

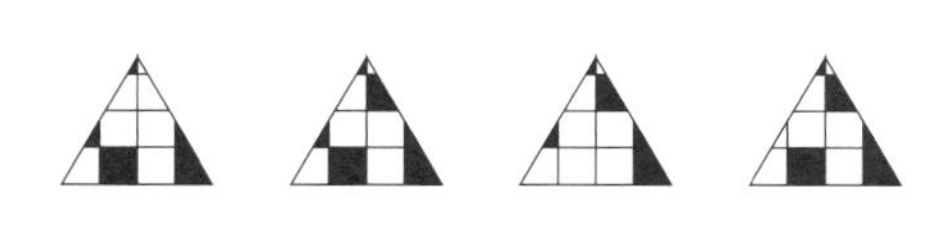

⑤

⑥

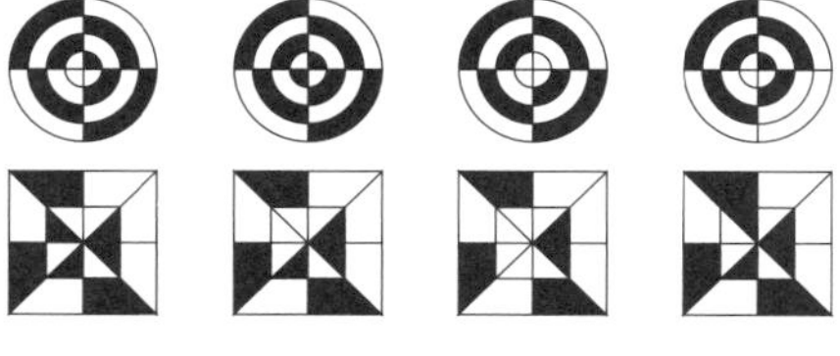

⑦

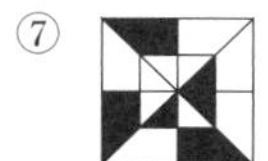

⑧

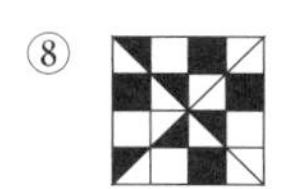

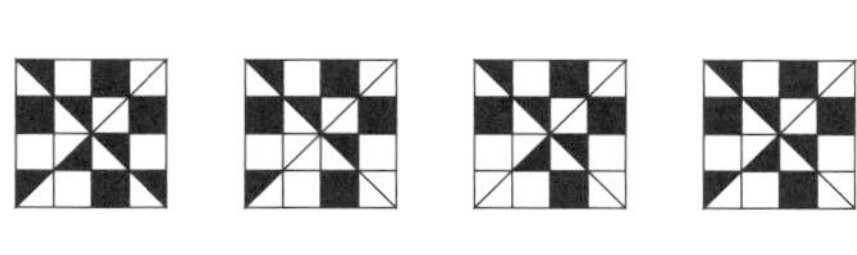

⑨

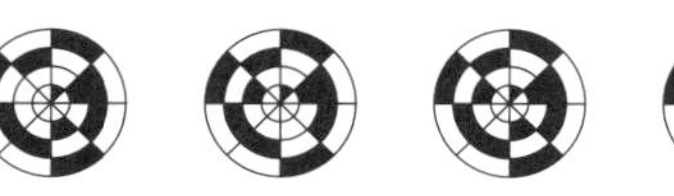

10 上の枠の図形とまったく同じ形をした図形を、下の枠の図形から選び、記号で答えなさい。

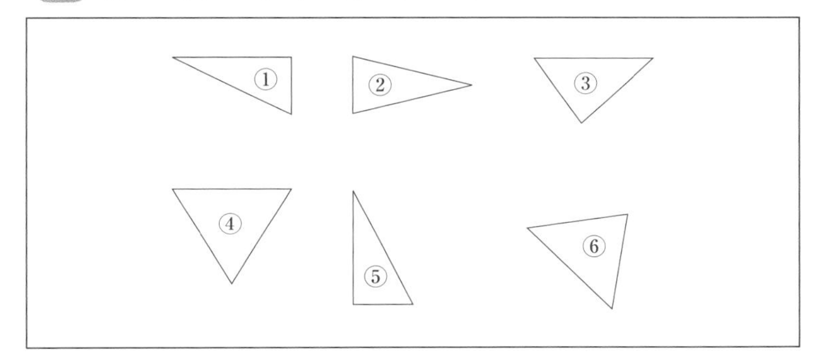

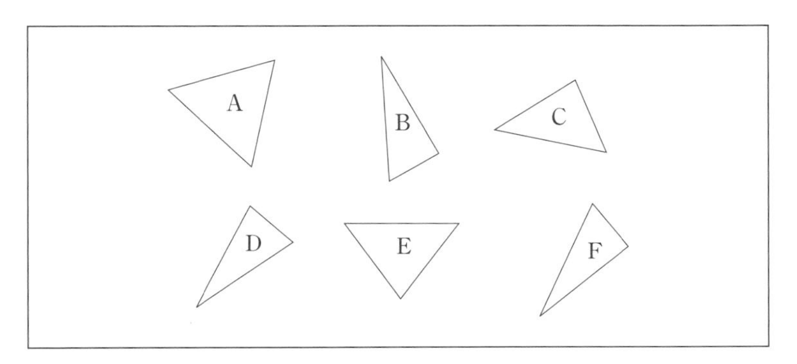

解答・解説

9 ①C　②A　③D　④C　⑤B　⑥A　⑦B　⑧D　⑨C

[解説] 左から1つずつ見比べて、同じものがあればそれ以降は調べない。

10 ①B　②D　③C　④A　⑤F　⑥E

[解説] 鏡に映った像と実際の像の関係（回転させてもかさならない像）は同じ図形ではないことに注意する。

図形

ポイント

- 空間認知能力を探り、技術系の職業適性を調べる問題です
- 異なる図を探したり断面図、展開図などを考えるものです
- ポイントを押さえればスピーディに解くことができます

例題 1　左の図と異なる図を右から探し、記号で答えなさい。

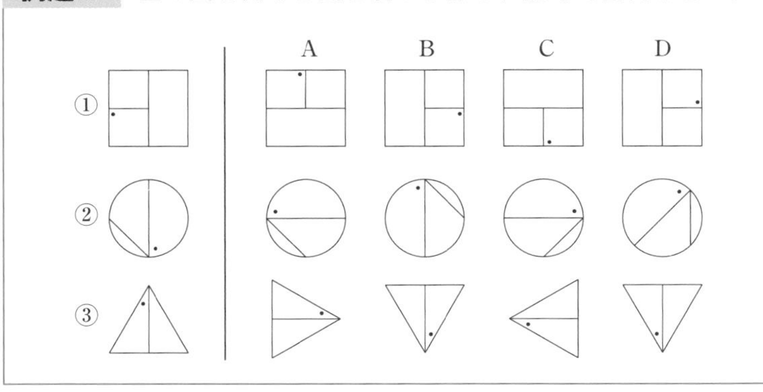

解き方のテクニック

照合に出てきた図形の問題とは違い、ここでは違う図を探す。

➡左の図を回転させて一致しない図を探していく。

➡この問題の場合、「・」の位置に注目し考えていくことがポイント。

解答

①B　②A　③D

例題２ 下の手引きと同じ関係になる図を右の図から選び、記号で答えなさい。

（手引き）

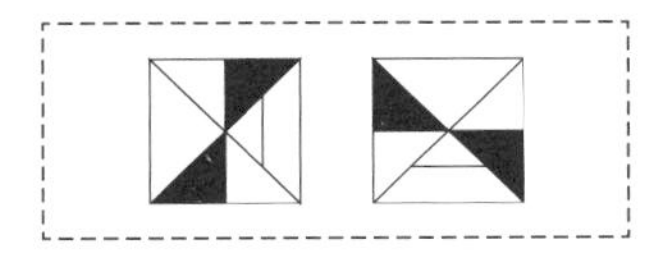

A　B　C　D

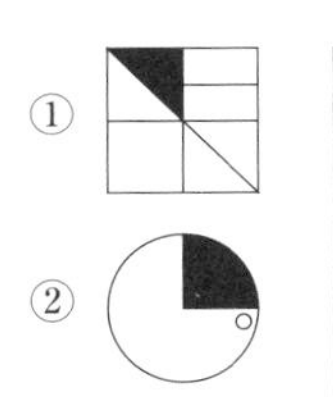

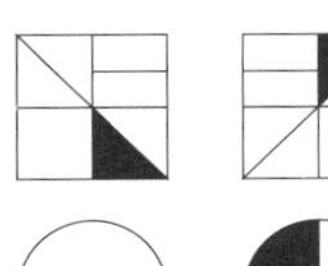

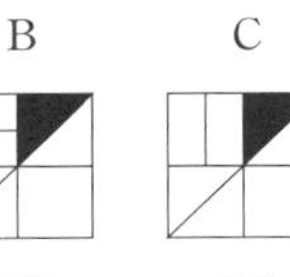

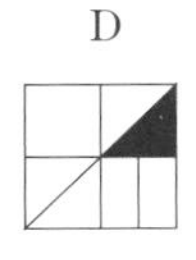

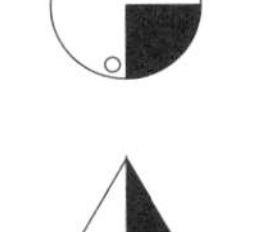

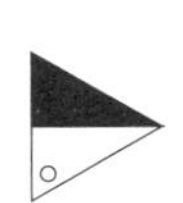

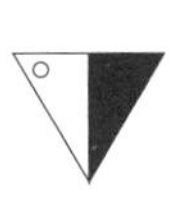

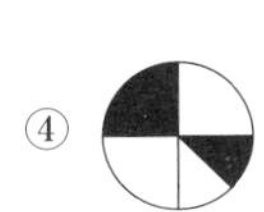

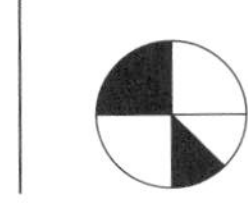

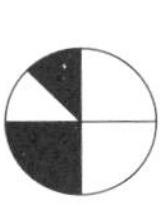

解き方のテクニック

まず手引きの２つの図形がどのような関係にあるのか考えよう。

➡この問題では左の図形を90°回転させると右の図形になる。

➡頭の中で、左の図を90°回転させてみよう。

解答

①D　②A　③B　④B

例題３ 左の展開図を組み立てたときの図形として適切なものを右から選び、記号で答えなさい。

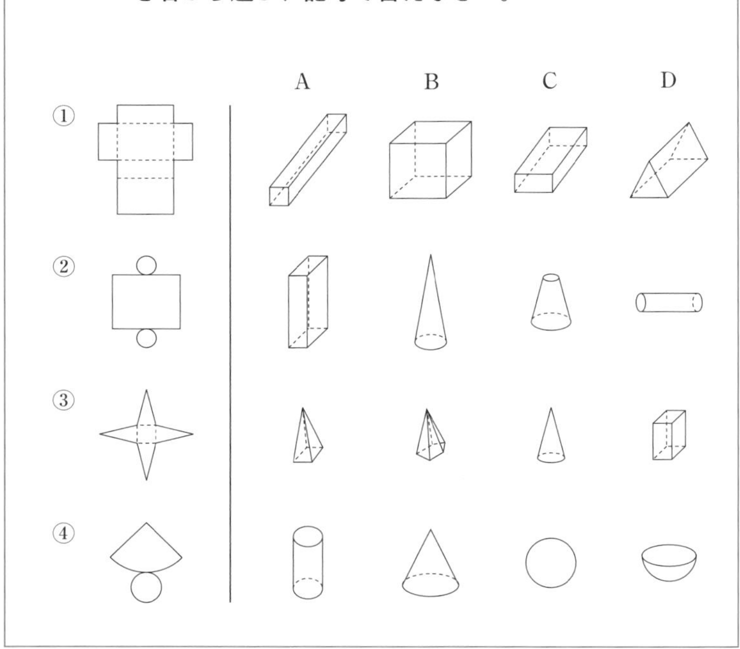

解き方のテクニック

点線は折り目である。頭の中で折り目に沿って折っていこう。

➡展開図にない形が見取図に出てくることはないので注意しよう。

➡たとえば①のＡの正方形は展開図にないのでこの図は違う。

解答

①C　②D　③A　④B

例題4 左のように、立体を平面で切ったとき、切り口はどのような図形になるか。記号で答えなさい。

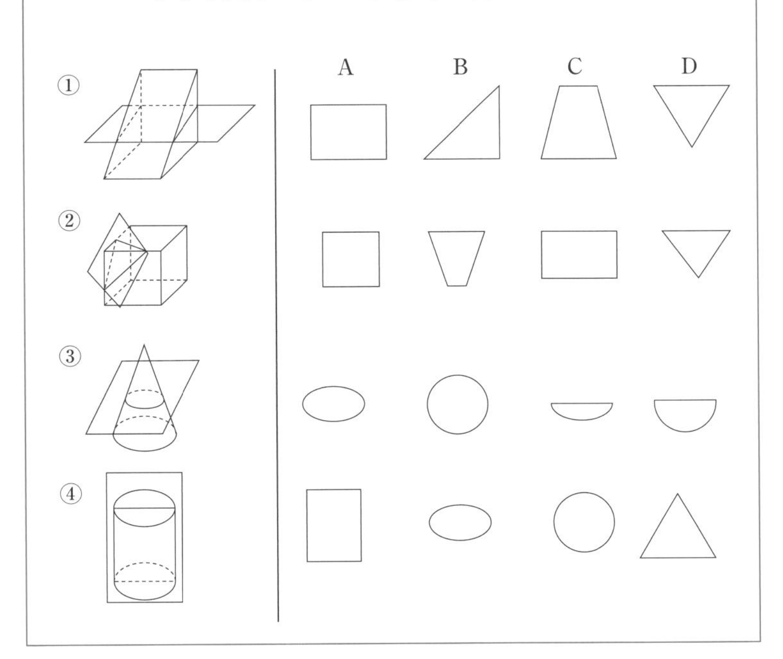

解き方のテクニック ★

切られる立体の形によって切り口の形が異なる。
➡角柱の場合、切り口の辺の数は立体が切られる面の数と等しい。
➡円柱や円錐の側面を切ると、切り口は曲面となる。

解答

①A　②D　③B　④A

図形

1 下の手引きと同じ関係になる図を右の図から選び、記号で答えなさい。

（手引き）

	A	B	C	D
①				
②				
③				
④				
⑤				
⑥				

2 左の図と異なる図を右から探し、記号で答えなさい。

	A	B	C	D
①	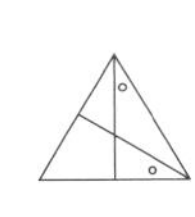	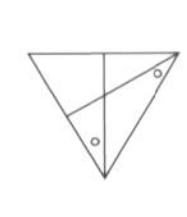	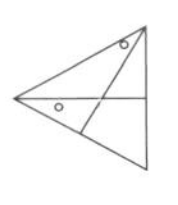	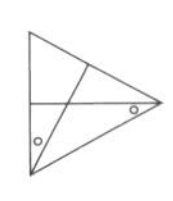
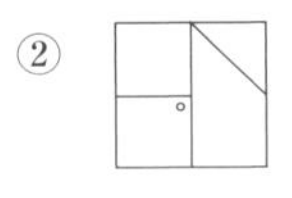	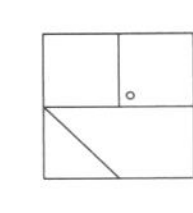	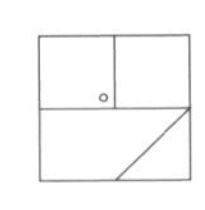	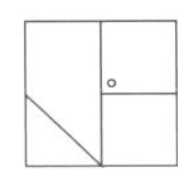	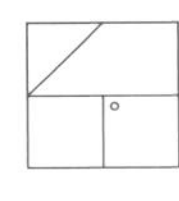
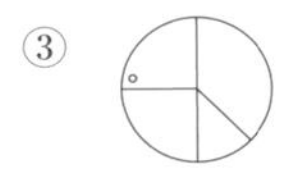	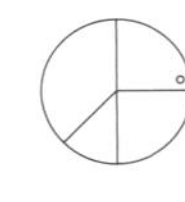	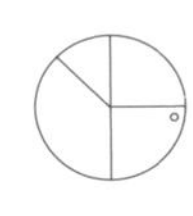	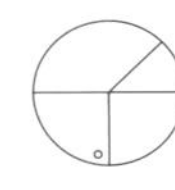	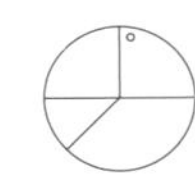
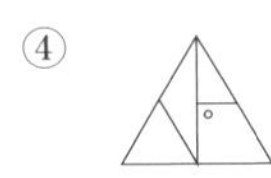	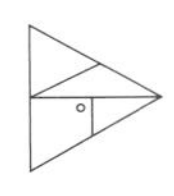	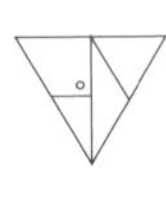	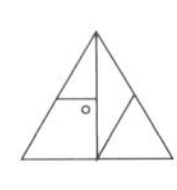	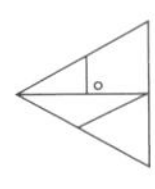
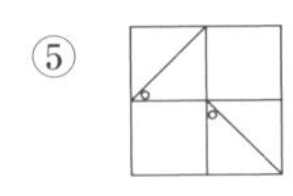	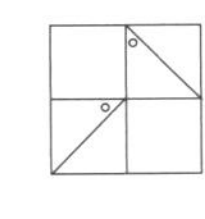	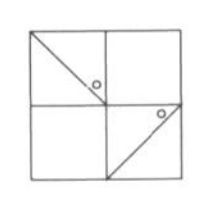	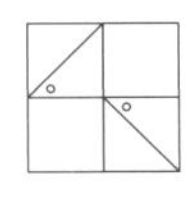	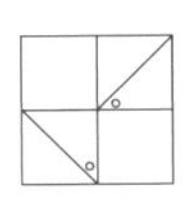
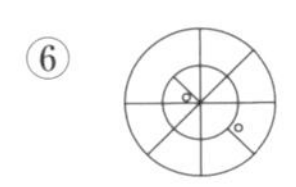	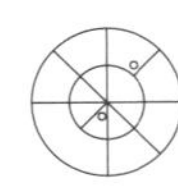	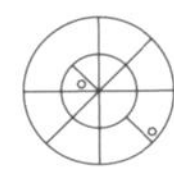		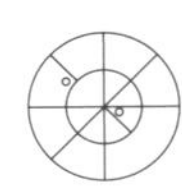

解答・解説

1 ①D　②C　③A　④D　⑤B　⑥C

[解説] 鏡に映る像と実際の像の関係になっている。回転しても重ならないことに注意。

2 ①C　②A　③A　④C　⑤C　⑥B

3 左の形を組み合わせると、どのような図形ができるか。記号で答えなさい。

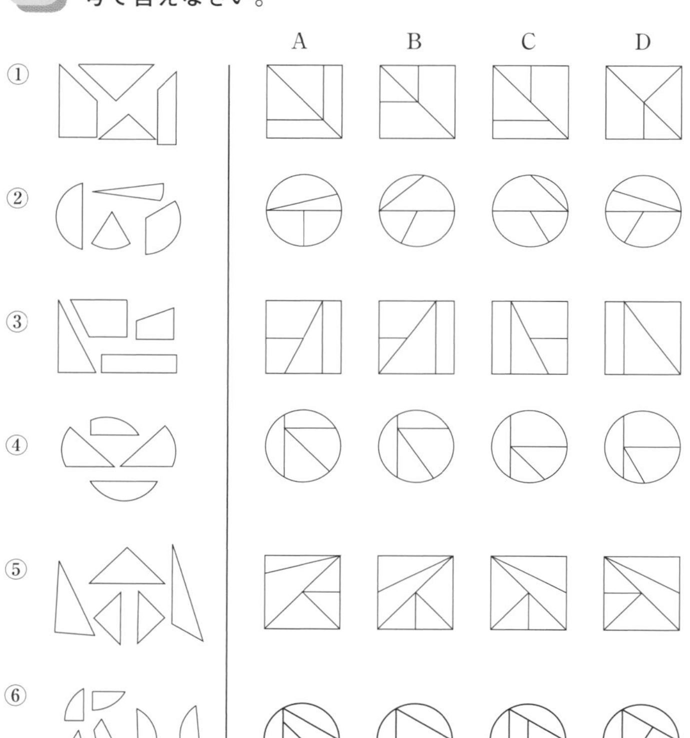

4 左の図形を回転させたものはどれか。記号で答えなさい。

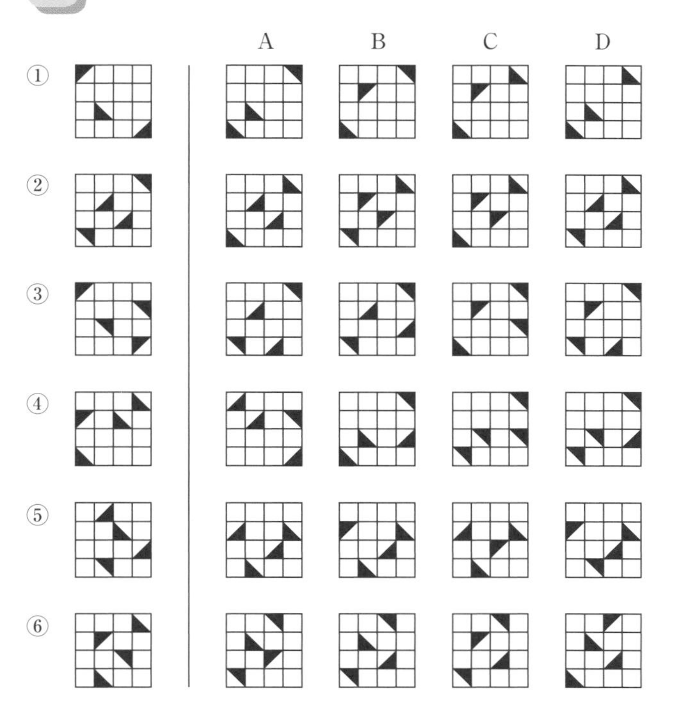

解答・解説

3 ①C ②D ③C ④A ⑤B ⑥A

[解説] それぞれのパーツで、辺の長さや角度に注意して同じものがあるかどうかを調べる。裏返してはいけないことに注意しよう。

4 ①B ②C ③A ④D ⑤C ⑥B

[解説] 90°、180° 回転させたものが出題されることが多い。

5 左の展開図を組み立てたときの図形として適切なものを右から選び、記号で答えなさい。

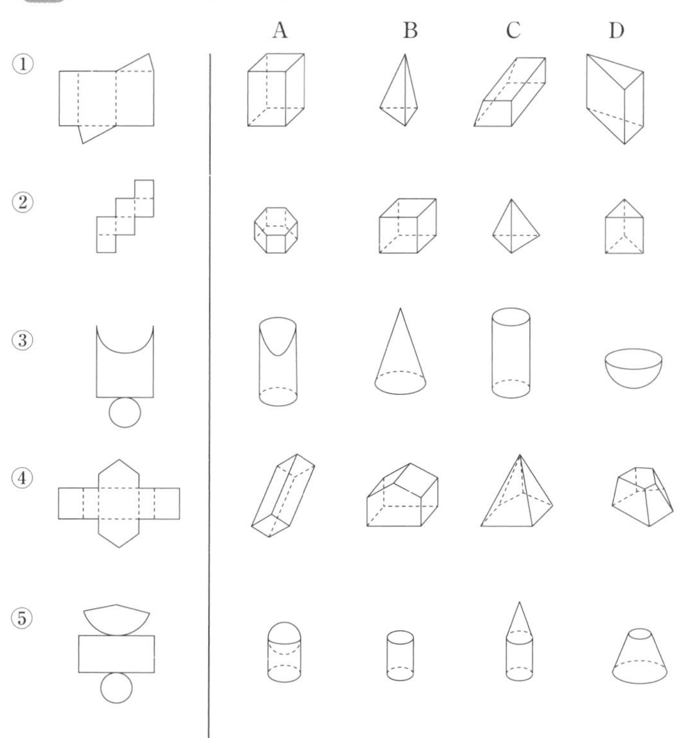

6 左のように、立体を太い線を含む平面で切ったとき、切り口はどのような図形になるか。記号で答えなさい。

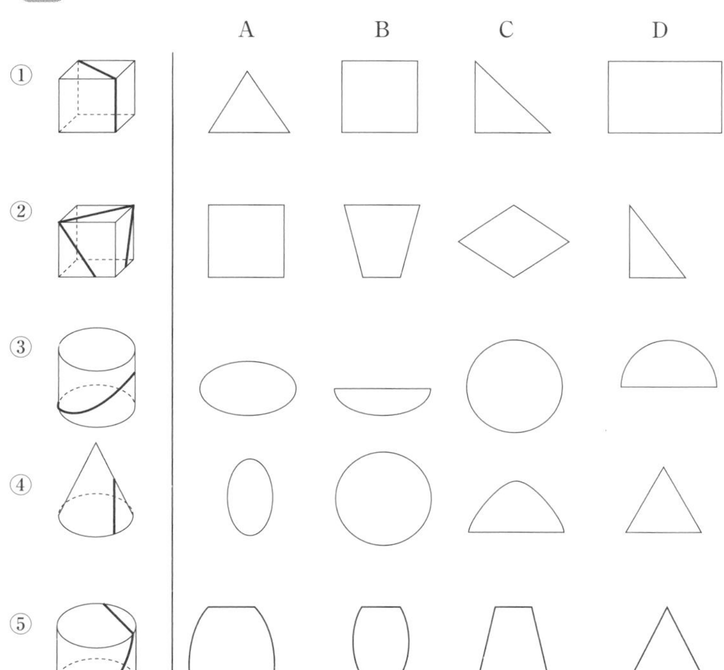

解答・解説

5 ①D　②B　③A　④B　⑤C　⑥B

[解説] 展開図の面の数と見取図の面の数は等しくなる。

6 ①D　②B　③A　④C　⑤A

[解説] 円柱や円錐を底辺に斜めに切ると切り口は楕円形になる。

適性問題
6

数的推理

ポイント

- いわゆる文章題ですが、小学校高学年程度の問題
- つるかめ算や和差算などのやり方をよく復習しておきましょう
- 差のつきやすい分野なので十分な理解が必要です

例題 1　次の問題に答えなさい。

①濃度20%の食塩水が100 g ある。これに水を300 g 加えると食塩水の濃度は何%になるか。

A　5%　　B　10%　　C　15%　　D　20%

②仕入れ値が8,000円の商品に2割5分の利益を見込んで定価をつけたが売れなかったため、10%引きで売った。この商品の売値はいくらか。

A　7,200円　B　8,000円　C　9,000円　D　10,000円

解き方のテクニック 

①20%の食塩水100 g に含まれる食塩の量は、100×0.2＝20[g]より、食塩水の濃度は、20÷(100＋300)×100＝5[%]

②定価は、8000×(1＋0.25)＝10000[円]なので、売値は、10000×(1－0.1)＝9000[円]

解答

①A　②C

例題２　次の問題に答えなさい。

①兄と弟の持っているお金を合わせると5,000円になる。兄は弟よりも600円多く持っている。弟はいくら持っているか。
A　2,000円　B　2,200円　C　2,400円　D　2,600円

②現在、息子の年齢は12歳で、父親の年齢はその３倍である。父親の年齢が息子の年齢の２倍になるのは何年後か。
A　６年後　B　10年後　C　12年後　D　20年後

③50円のみかんと80円のりんごを合わせて20個買ったところ、代金は1,210円になった。みかんは何個買ったか。
A　10個　B　11個　C　12個　D　13個

解き方のテクニック

①和差算。弟の持っている金額は、(5000－600)÷２＝2200[円]

②年齢算。現在の父親の年齢は、12×３＝36[歳]、２人の年齢差は、36－12＝24[歳]である。これをもとに、線分図を描いて考える。

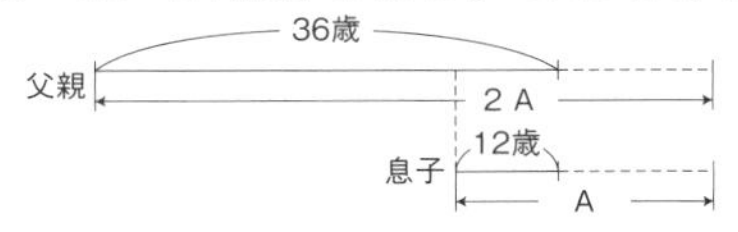

年齢差の24歳がＡに当たるので、24－12＝12[年後]

③つるかめ算である。みかんとりんごの値段の差は、80－50＝30[円]、ぜんぶりんごを買ったとするとその金額は、80×20＝1600[円]。よって、買ったみかんの数は、(1600－1210)÷30＝13[個]

解答

①B　②C　③D

例題３ 次の問題に答えなさい。

①吉田さん１人では12日、佐藤さん１人では６日かかる仕事を２人でいっしょに働くと何日かかるか。

A　２日　　B　３日　　C　４日　　D　５日

②ある水槽を満水にするのに、管Ⅰでは10分、管Ⅱでは12分、管Ⅲでは15分かかる。３つの管を同時に開いて水を入れると、満水になるまでに何分間かかるか。

A　２分間　　B　４分間　　C　６分間　　D　８分間

解き方のテクニック ★

①仕事算である。それぞれが１日にする仕事は、吉田さんは全体の $\frac{1}{12}$、佐藤さんは全体の $\frac{1}{6}$ なので、２人で１日にする仕事は全体の $\frac{1}{12}+\frac{1}{6}=\frac{1}{4}$ となるので、全部の仕事を終えるのにかかる日数は４日となる。

②水道算と呼ばれるが、考え方は仕事算と同じ。１分間に入る水の量は、管Ⅰは $\frac{1}{10}$、管Ⅱは $\frac{1}{12}$、管Ⅲは $\frac{1}{15}$ となる。よって、３つの管を同時に開いたときに１分間に入る水の量は、$\frac{1}{10}+\frac{1}{12}+\frac{1}{15}=\frac{1}{4}$ となるので、水槽が満水になるのにかかる時間は４分間である。

解答

①C　②B

例題４ 次の問題に答えなさい。

①太郎さんは家から駅まで分速60mで歩いていった。12分後に兄が分速180mの自転車で追いかけた。兄が太郎さんに追いつくのは何分後か。

A　２分後　　B　４分後　　C　６分後　　D　８分後

②長さ80mの列車が秒速20mで走っている。この列車が長さ720mのトンネルにさしかかって最後尾がトンネルから出るまでに何秒かかるか。

A　10秒　　B　20秒　　C　30秒　　D　40秒

③48km離れた２地点を船で往復するのに、上りは８時間、下りは３時間かかった。この川の流速は時速何kmか。

A　５km　　B　８km　　C　11km　　D　16km

解き方のテクニック

①旅人算である。２人の距離は１分間に180−60＝120［m］縮まっている。兄が出発するまでに太郎さんは60×12＝720［m］進んでいるので、720÷120＝６［分後］

②トンネルにさしかかってから最後尾がトンネルから出るまでに、720＋80＝800［m］進むので、かかった時間は800÷20＝40［秒］

③流速＝（下りの速さ−上りの速さ）÷２、静水時の速さ＝（下りの速さ＋上りの速さ）÷２、下りの速さは48÷３＝16［km/時］、上りの速さは48÷８＝６［km/時］より、（16−６）÷２＝５［km/時］

解答

①C　②D　③A

練習問題

数的推理

1 次の問題の答えとして適切なものを選び、記号で答えなさい。

①６％の食塩水100ｇと12％の食塩水200ｇを混ぜ合わせると、食塩水の濃度は何％になるか。

A　７％　　B　８％　　C　９％　　D　10％

②４％の食塩水100ｇに400ｇの水を加えると、食塩水の濃度は何％になるか。

A　0.8％　　B　1.0％　　C　1.2％　　D　2.0％

2 次の問題の答えとして適切なものを選び、記号で答えなさい。

①ある商品を250円で仕入れ、１割６分の利益を見込んで定価をつけた。定価はいくらか。

A　210円　　B　290円　　C　360円　　D　400円

②原価が500円の品物に２割８分の利益を見込んで定価をつけたが売れなかったので、２割引で売った。売値はいくらか。

A　480円　　B　512円　　C　520円　　D　640円

③ある商品を仕入れ、３割の利益を見込んで定価をつけたが売れなかったので、定価の２割５分引の4,875円で売った。仕入れ値はいくらか。

A　1,625円　　B　4,753円　　C　5,000円　　D　6,500円

3 次の問題の答えとして適切なものを選び、記号で答えなさい。

①ツルとカメが合わせて16匹いて、足の合計は44本になった。カメは何匹いるか。

A　4匹　　B　6匹　　C　8匹　　D　10匹

②50円のえんぴつと80円のボールペンを合わせて30本買ったところ、代金は2,100円であった。えんぴつを何本買ったか。

A　5本　　B　10本　　C　15本　　D　20本

③100円のシュークリームと200円のケーキを合わせて20個買って、2,800円支払った。ケーキをいくつ買ったか。

A　8個　　B　10個　　C　12個　　D　14個

解答・解説

1　①D　②A

[解説]①全体の食塩の量は、100×0.06＋200×0.12＝30[g]なので、食塩水の濃度は、30÷(100＋200)×100＝10[%]　②100×0.04÷(100＋400)×100＝0.8[%]

2　①B　②B　③C

[解説]①250×(1＋0.16)＝290[円]　②500×(1＋0.28)×(1－0.2)＝512[円]　③定価は4875÷(1－0.25)＝6500[円]より、仕入れ値は、6500÷(1＋0.3)＝5000[円]

3　①B　②B　③A

[解説]①16匹全部がツルだとすると足の数は、2×16＝32[本]、よってカメの数は、(44－32)÷(4－2)＝6[匹]　②全部ボールペンだと考えて、(80×30－2100)÷(80－50)＝10[本]　③全部シュークリームだと考えて、(2800－100×20)÷(200－100)＝8[個]

4 次の問題の答えとして適切なものを選び、記号で答えなさい。

①山口さんと高橋さんの持っている金額の合計は7,000円で、高橋さんは山口さんより1,200円多く持っている。高橋さんが持っている金額はいくらか。

A　4,100円　　B　4,500円　　C　4,700円　　D　5,000円

②Ａ、Ｂ、Ｃの３つの数がある。ＡとＢの和は29、ＢとＣの和は34で、ＢはＣより２小さい。Ａはいくつか。

A　11　　B　13　　C　16　　D　18

③シャープペンシルの値段はボールペン２本分の値段より100円高く、シャープペンシル２本とボールペン４本を買うと代金は2,600円であった。シャープペンシルの値段はいくらか。

A　400円　　B　500円　　C　600円　　D　700円

5 次の問題の答えとして適切なものを選び、記号で答えなさい。

①現在、渡辺さんの年齢は42歳で、娘のゆかりさんの年齢は15歳である。渡辺さんの年齢がゆかりさんの年齢の４倍であったのは何年前か。

A　２年前　　B　４年前　　C　６年前　　D　８年前

②現在、山田さんの年齢は33歳、３人いる子どもの年齢はそれぞれ９歳、６歳、２歳である。何年後に、３人の子どもの年齢の合計が山田さんと等しくなるか。

A　2年後　　B　４年後　　C　６年後　　D　８年後

6 次の問題の答えとして適切なものを選び、記号で答えなさい。

①一郎さん1人では10日、花子さん1人では15日かかる仕事を2人でいっしょに働くと何日かかるか。

A 4日　B 5日　C 6日　D 7日

②ある水槽を満たすのに、管Ⅰでは12分、管Ⅱでは18分かかる。管Ⅰ、Ⅱの両方を開いて6分間水を入れ、その後管Ⅱだけ開いて水を入れると、満水になるまでに全部で何分かかるか。

A 7分間　B 9分間　C 11分間　D 13分間

解答・解説

4 ①A　②B　③D

[解説] ①(7000＋1200)÷2＝4100[円]　②Bは(34−2)÷2＝16より、Aは29−16＝13　③ボールペン2×2＋4＝8[本]の値段は2600−100×2＝2400[円]より、ボールペンの値段は2400÷8＝300[円]となり、シャープペンシルの値段は300×2＋100＝700[円]

5 ①C　②D

[解説] ①(42−15)÷(4−1)＝9より、15−9＝6[年前]　②子どもの年齢の合計は1年に3歳増えるので、{33−(9＋6＋2)}÷(3−1)＝8[年後]

6 ①C　②B

[解説] ①2人で1日にする仕事は$\frac{1}{10}+\frac{1}{15}=\frac{1}{6}$より、6日かかる。

②両方の管を使って1分間に入る水の量は$\frac{1}{12}+\frac{1}{18}=\frac{5}{36}$、管Ⅱだけで水を入れる時間は$(1-\frac{5}{36}\times 6)\div\frac{1}{18}=3$[分間]より、6＋3＝9[分間]

7 次の問題の答えとして適切なものを選び、記号で答えなさい。

①2,400m離れた２地点のそれぞれから、たかしさんは分速70m、ゆみこさんは分速50mで向かい合って歩き始めた。２人が出会うのは何分後か。

A　10分後　　B　20分後　　C　30分後　　D　40分後

②ひろみさんは家から学校まで分速60mで歩いていった。８分後に忘れ物に気づいた母親が分速180mの自転車で追いかけた。母親がひろみさんに追いつくのは何分後か。

A　２分後　　B　４分後　　C　６分後　　D　８分後

8 次の問題の答えとして適切なものを選び、記号で答えなさい。

①長さ100mの列車が秒速25mで走っている。この列車が長さ650mのトンネルにさしかかって最後尾がトンネルから出るまでに何秒かかるか。

A　10秒　　B　20秒　　C　30秒　　D　40秒

②長さ80mの列車が時速72kmで走っている。この列車が長さ400mの鉄橋にさしかかってから渡り終えるまでに何秒かかるか。

A　12秒　　B　16秒　　C　20秒　　D　24秒

③線路が道路と並行して走っているところで、秒速24mで走る長さ72mの電車が秒速15mで走る乗用車を追い越し始めた。乗用車のドライバーの真横の位置に電車の先頭がきてから、同じ位置に電車の最後尾がくるまでに何秒かかるか。

A　６秒　　B　８秒　　C　10秒　　D　12秒

9 次の問題の答えとして適切なものを選び、記号で答えなさい。

①60km離れた２地点を川に沿って船で往復するのに、上りは６時間、下りは５時間かかった。この川の流速は時速何kmか。

A　１km　　B　２km　　C　３km　　D　４km

②ある船が川を42km上るのに７時間、下るのに３時間かかった。この船は流れのないところでは時速何kmで進むか。

A　４km　　B　６km　　C　８km　　D　10km

解答・解説

7　①B　②B

[解説] ①２人が１分間に進む距離は70＋50＝120［m］より、2400÷120＝20［分後］　②２人は１分間に180−60＝120［m］近づくので、60×８÷120＝４［分後］

8　①C　②D　③B

[解説] ①この間に列車が進んだ距離は650＋100＝750［m］より、750÷25＝30［秒］　②列車の秒速は72×1000÷60÷60＝20［m/秒］より、(400＋80)÷20＝24［秒］　③１秒間に電車は24−15＝９［m］だけ乗用車よりも先に進む。よって、72÷９＝８［秒］

9　①A　②D

[解説] 上りの船の速さ＝静水時の速さ−流速、下りの船の速さ＝静水時の速さ＋流速　①上りの速さは60÷６＝10［km/時］、下りの速さは60÷５＝12［km/時］より、流速は(12−10)÷２＝１［km/時］　②(42÷７＋42÷3)÷２＝10［km/時］

適性問題
7

数列

ポイント

- 処理能力を問う問題です
- 文字の並び方の規則性を見つけられるかどうかがポイント
- 前の数の加減乗除となっているものが多くみられます

例題１ 次の数列は、それぞれある規則に従って並んでいる。並んでいる数の次にくる数を右から選び、記号で答えなさい。

①1、2、3、4	A 5	B 6	C 7	D 8	E 9
②1、3、5、7	A 8	B 9	C 10	D 11	E 12
③1、2、4、8	A 10	B 12	C 14	D 16	E 18
④1、2、4、7	A 9	B 10	C 11	D 12	E 13
⑤1、1、2、3	A 4	B 5	C 6	D 7	E 8
⑥81、27、9、3	A −1	B 0	C 1	D 2	E 3

解き方のテクニック

とりあえず隣同士の２つの数の差をとってみよう。それでもわからないときは、和、商、積の順に調べていこう。
③左の数に２をかけると右の数になる。④順に１、２、３、…を足していっている。⑤隣り合う２つの数を足すと、次の数になっている。⑥左の数を３で割った答えが右の数になっている。

解答

①A　②B　③D　④C　⑤B　⑥C

例題２ 次の数列は、手引きの中のどの規則に従って並んでいるか。記号で答えなさい。

（手引き）

A	ある数を加えている。	（例） 1、2、3、4、…
B	ある数を引いている。	（例） 5、4、3、2、…
C	ある数をかけている。	（例） 1、2、4、8、…
D	循環的に増減する。	（例） 1、2、4、5、…
E	規則性はない。	（例） 1、3、6、7、…

①2、4、6、8、10、…
②2、5、7、10、12、…
③1、4、16、64、256、…
④20、17、14、11、8、…
⑤1、8、15、22、29、…
⑥45、42、40、36、35、…
⑦1、5、3、7、5、9、…
⑧64、32、16、8、4、2、…
⑨1、4、3、6、2、8、…
⑩5、6、9、10、13、14、…

解き方のテクニック

②のように、最初の数に３を足して、次の数には２を足して、さらに次の数には３を足して…というように、＋３、＋２を繰り返す場合を、循環的に増減するという。

解答

①A　②D　③C　④B　⑤A　⑥E　⑦D　⑧C　⑨E　⑩D

数列

1 次の数列は、それぞれある規則に従って並んでいる。並んでいる数の次にくる数を下から選び、記号で答えなさい。

①10、20、30、10、20、30
A 10　B 20　C 30　D 40　E 50

②1、5、9、13、17、21
A 21　B 22　C 23　D 24　E 25

③30、28、26、24、22、20
A 21　B 20　C 19　D 18　E 17

④2、3、5、7、11、13
A 14　B 15　C 16　D 17　E 18

⑤1、3、6、8、11、13
A 14　B 15　C 16　D 17　E 18

⑥2、8、32、128、512、2048
A 3072　B 4096　C 5120　D 6144　E 8192

⑦2、8、4、10、6、12
A 8　B 10　C 12　D 14　E 16

⑧4096、1024、256、64、16
A 1　B 2　C 4　D 8　E 12

2 次の数列はある規則に従って並べられている。□にあてはまる数を答えなさい。

①1、2、2、3、□、3、□、4、4、4、…
②3、6、□、12、15、□、21、24、…
③256、128、□、32、16、□、4、2、…
④320、295、□、245、220、□、170、…
⑤0、2、5、7、□、12、□、17、…
⑥1、2、4、7、8、□、13、□、…
⑦1、1、2、6、□、□、720、5040、…
⑧1、4、2、□、3、6、□、7、…
⑨1、−3、2、□、3、−1、4、□、…
⑩1、5、10、14、19、23、□、□、…
⑪1、1、2、3、3、5、□、□、5、…
⑫1、2、4、4、□、6、16、□、25、…

解答・解説

1 ①A　②E　③D　④D　⑤C　⑥E　⑦A　⑧C

[解説]④素数を並べている。⑤+2、+3を繰り返している。⑦+6、−4を繰り返している。

2 左から①3、4　②9、18　③64、8　④270、195　⑤10、15　⑥10、14　⑦24、120　⑧5、4　⑨−2、0　⑩28、32　⑪4、7　⑫9、8

[解説]⑪1つおきに1、2、3、…という列と1、3、5、…という列が並んでいる。⑫1つおきに1^2、2^2、3^2、…という列と2、4、6、…という列が並んでいる。

3 次の数列は、手引きの中のどの規則に従って並んでいるか。記号で答えなさい。

（手引き）

A	ある数を加えている。	（例）	1、2、3、4、…
B	ある数を引いている。	（例）	5、4、3、2、…
C	ある数をかけている。	（例）	1、2、4、8、…
D	循環的に増減する。	（例）	1、2、4、5、…
E	規則性はない。	（例）	1、3、6、7、…

①2、4、6、8、10、12、…
②4、8、12、16、20、24、…
③1、3、9、27、81、243、…
④1、6、11、16、21、26、…
⑤1、3、6、8、8、9、…
⑥65、61、57、53、49、45、…
⑦1、3、4、6、7、9、…
⑧1、12、23、34、45、56、…
⑨1、－2、3、0、5、2、…
⑩4、5、7、10、15、17、…
⑪96、84、72、60、48、36、…
⑫125、112、98、84、72、64、…
⑬1024、512、256、128、64、…
⑭6、3、8、5、10、7、…
⑮11、22、33、44、55、66、…
⑯8、4、6、2、4、0、…
⑰3、6、1、5、8、4、…
⑱2、6、18、54、162、486、…
⑲4、10、6、12、8、14、…
⑳1、5、10、15、20、25、…
㉑3、1、5、3、7、5、…

4 次の数列はある規則に従って並べられている。□にあてはまる数を答えなさい。

①1、1、2、□、5、8、□、…
②7、□、21、□、35、42、49、…
③2、6、4、□、6、10、□、…
④2187、729、243、□、27、9、□、…
⑤90、□、74、66、□、50、42、…
⑥2、－3、4、□、6、1、□、…
⑦1、5、3、7、□、□、7、…
⑧81、72、□、54、□、36、27、…
⑨2、1、□、3、6、□、8、…
⑩4、16、8、32、□、64、□、…

解答・解説

3 ①A ②A ③C ④A ⑤E ⑥B ⑦D ⑧A ⑨D ⑩E
⑪B ⑫E ⑬C ⑭D ⑮A ⑯D ⑰E ⑱C ⑲D ⑳E
㉑D

[解説] ⑦＋２、＋１を繰り返している。⑨−3、＋5を繰り返している。⑪12を引いている。⑬0.5をかけている。⑭－３、＋５を繰り返している。⑯－４、＋２を繰り返している。⑲+6、－４を繰り返している。㉑−2、+4を繰り返している。

4 左から①3、13 ②14、28 ③8、8 ④81、3 ⑤82、58
⑥−1、8 ⑦5、9 ⑧63、45 ⑨4、5 ⑩16、32

[解説] ①隣り合う数を足している。③＋４、－２を繰り返している。④３で割っている。⑥－５、＋７を繰り返している。⑦＋４、－２を繰り返している。⑨－１、＋３を繰り返している。⑩×４、÷２を繰り返している。

適性問題
8

語意

ポイント

- 語句の意味や正しい表記・読み、言語による思考能力や言語感覚をみる問題です
- 多様な出題形式に慣れ、辞書を引く習慣をつけましょう

例題 1　次の語句の同意語あるいは反対語を選びなさい。

	A		B		C		D	
①疾病	A	重病	B	病気	C	傷病	D	仮病
②寒い	A	熱い	B	篤い	C	厚い	D	暑い
③欠点	A	短所	B	欠格	C	欠落	D	汚点
④原因	A	効果	B	結論	C	結果	D	影響

解き方のテクニック

- 基本的な語句の意味を正しく理解しているかをみる問題。難しい語句、特殊な語句はほとんど出題されない。
  ②のAとDのように、まぎらわしい選択肢が含まれる場合や、③のように、同じ漢字が含まれない語句が正答である場合も多いので、注意が必要。
- 反対語に意識が向きがちなので、同意語を見落とさないように気をつけよう。

解答

①B　②D　③A　④C

例題2 次の漢字と反対の意味の漢字を右から選んで□に入れ、熟語を完成させなさい。

①正□　A 誤　B 当　C 悪　D 不
②□益　A 利　B 公　C 減　D 損

解き方のテクニック ★

「反対の意味」を意識しながら、熟語を思い浮かべていくとよい。

解答

①A　②D

例題3 次の□に入る正しい漢字を選びなさい。

①□和雷同　A 不　B 負　C 付　D 浮
②雲散□消　A 氷　B 霧　C 解　D 雨
③異□同音　A 口　B 句　C 工　D 苦

解き方のテクニック 

四字熟語に関する出題は多い。表記、読み、意味の正確な理解を。

解答

①C　②B　③A

例題４　次の各問で、正しいものをＡ～Ｄから選びなさい。

①ガソリンの原料は

Ａ　石炭　　Ｂ　鉄鉱石　　Ｃ　石油

Ｄ　ボーキサイト

②北西の反対の方角は

Ａ　南東　　Ｂ　北東　　Ｃ　南西

Ｄ　南北

③50音順に並べたとき、３番目にくるのは

Ａ　やまがた　　Ｂ　よこすか　　Ｃ　よこはま

Ｄ　やまぐち

④慣れない相手に対して恥ずかしがるようすは

Ａ　はばかる　　Ｂ　はなやぐ　　Ｃ　はかどる

Ｄ　はにかむ

⑤責任などを他の人に押しつけることは

Ａ　叱責　　Ｂ　転嫁　　Ｃ　転化

Ｄ　問責

解き方のテクニック

- さまざまなことを問われるので、一瞬とまどうかもしれないが、問われる内容はやさしいので、肩の力を抜いて、問題文をすばやく正確に把握することがポイント。
- ②や③のような問題では、ケアレスミスをしないように。

解答

①Ｃ　②Ａ　③Ｂ　④Ｄ　⑤Ｂ

9 次の語句の意味として正しいものを選びなさい。

①婉曲　A　表現が遠回しなこと　B　言い方が唐突なこと
　　　　C　事実を曲げること　D　考え方が柔軟なこと

②普請　A　ふつうの家　B　寺社の建物
　　　　C　家を建てること　D　借家に住むこと

③漸次　A　しばらくの間　B　しだいに
　　　　C　順番に　D　あっという間

④夭折　A　惜しまれて死ぬこと　B　若くして死ぬこと
　　　　C　安らかに死ぬこと　D　急死すること

⑤名勝　A　由緒ある有名な寺院　B　よい思いつき
　　　　C　すぐれた書家や画家　D　景色のよいところ

解答・解説

8 ①B　②A　③D　④B　⑤C

[解説] 四字熟語の意味は、知らなければ答えにくい。①「岡目八目」とも書く。Aは「漁夫の利」。③「砂上の楼閣」も同じ意味。④Cは「一視同仁」。

9 ①A　②C　③B　④B　⑤D

[解説] ①「えんきょく」と読む。Cは「歪曲（わいきょく）」。②「ふしん」と読む。③「ぜんじ」と読む。④「ようせつ」と読む。⑤Aは「名刹（めいさつ）」。

10 次の各問で、正しいものをA～Dから選びなさい。

①前進の反対は
A　衰退　　B　後続　　C　後退　　D　前後

②地球と月は、大きいと
A　小さい　　B　軽い　　C　明るい　　D　遠い

③１つだけ異質なのは
A　豆腐　　B　みそ　　C　バター　　D　納豆

④とうふに
A　のこぎり　　B　かすがい　　C　くぎ　　D　かんな

⑤50音順に並べたとき、３番目にくるのは
A　イラク　　B　イタリア　　C　インド　　D　イラン

⑥俳優の仕事は
A　演技　　B　舞台　　C　演出　　D　役者

⑦ヨーグルトの原料は
A　クリーム　　B　牛乳　　C　乳牛　　D　チーズ

⑧まな板は
A　理髪器具　　B　清掃用具　　C　調理器具　　D　文房具

⑨梗概の意味は
A　下書き　　B　あらすじ　　C　前書き　　D　後書き

11 次の各語群で、４つの語句のうち、ほかの３つとは異なるものを選びなさい。

① A ライオン　B キリン　C シマウマ　D ゾウ
② A 小説　B 評論　C 随筆　D 文学
③ A 日本酒　B ビール　C ワイン　D 焼酎
④ A 熱い　B 暑い　C 涼しい　D 寒い
⑤ A もめん　B ナイロン　C ウール　D 絹
⑥ A トラック　B 自転車　C ボート　D 電車
⑦ A ふとん　B ねまき　C 枕　D 毛布
⑧ A 琵琶湖　B 死海　C バイカル湖　D ミシガン湖
⑨ A ロンドン　B ソウル　C ニューヨーク　D ペキン
⑩ A 河岸段丘　B 海蝕崖　C リアス海岸　D フィヨルド

解答・解説

10 ①C ②A ③C ④B ⑤D ⑥A ⑦B ⑧C ⑨B

[解説] ③バターだけが乳製品。④のれんに腕押し、ぬかに釘も同じ意味。主なことわざや慣用句は意味をきちんと覚えておこう。⑨「こうがい」と読む。

11 ①A ②D ③D ④A ⑤B ⑥C ⑦B ⑧B ⑨C ⑩A

[解説] ①ライオンだけが肉食動物。②小説、評論、随筆は文学のジャンル。③焼酎だけが蒸留酒。④熱い以外は気候をいう語。⑤ナイロンだけが合成繊維。⑥ボートだけが水上の乗り物。⑦ねまきだけは着る。⑧死海だけが塩水湖。⑨ニューヨーク以外は首都。⑩河岸段丘は川の、ほかの３つは海岸の地形。

適性問題 9

文章構成

ポイント

- 順序がばらばらになった文を正しく並べ替えたり、文中の空欄に適切な語句を補ったりする問題です
- 内容はやさしいので、スピードと正確さが問われます

例題 1　左の語句に続けて、A～Dを並べ替えて意味の通る文にするとき、3番目にくる語句を答えなさい。

①次の角を	A	正面に	B	曲がると
	C	右へ	D	駅が見える
②うれしい	A	すなおに	B	大切だ
	C	気持ちを	D	表現することが
③今日は	A	さわやかだ	B	風が
	C	よいうえに	D	天気が
④私の	A	弁当は	B	とてもおいしい
	C	いつも	D	母が作る

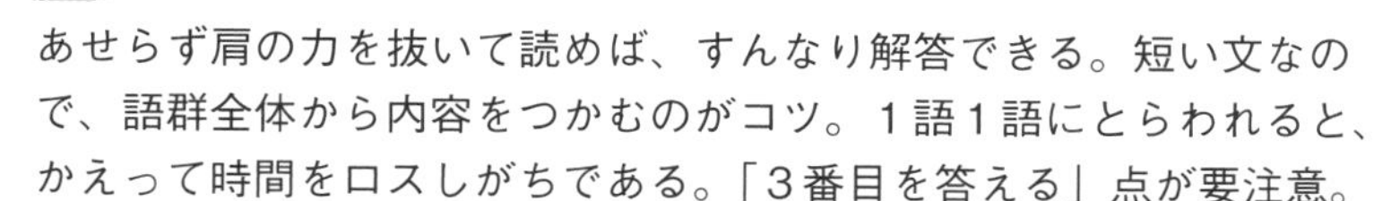
あせらず肩の力を抜いて読めば、すんなり解答できる。短い文なので、語群全体から内容をつかむのがコツ。1語1語にとらわれると、かえって時間をロスしがちである。「3番目を答える」点が要注意。

解答

①A　②D　③B　④C

例題2 次の文の〔　　〕にあてはまる適切な語句を選びなさい。

①晴れわたった冬の夜空に、星が〔　　〕輝いている。
A　ぎらぎらと　　B　ふらふらと　　C　きらきらと
D　ひらひらと

②西の空に雲が増えてきた。〔　　〕明日は雨になるだろう。
A　なぜなら　　B　しかし　　C　たとえば
D　だから

③君の提案を聞いて、目からうろこが〔　　〕思いだ。
A　はえる　　B　落ちる　　C　はがれる
D　飛び出す

④いくら暑いからといって、〔　　〕裸で暮らすわけにもいかない。
A　おそらく　　B　まさか　　C　きっと
D　たぶん

⑤定価は300円だが、2割も〔　　〕240円で買った。
A　安い　　B　もうかる　　C　少ない
D　損な

空所補充の問題は、選択肢がなくても適語がわかるレベルの出題も多い。②のような接続詞を問う問題は、空所の前後の関係に注意。③のように慣用句やことわざに関する出題もかなり多い。

解答

①C　②D　③B　④B　⑤A

文章構成

1 左の語句に続けて、A～Dを並べ替えて意味の通る文にするとき、3番目にくる語句を答えなさい。

①携帯電話の　A　もたらした　B　普及は
　C　変化を　D　コミュニケーションの

②新しい　A　袖を通すときは　B　洋服に
　C　わくわくする　D　いつも

③台風の接近が　A　商店の　B　早じまいにした
　C　多くが　D　報じられて

④総務部に　A　出身だ　B　鹿児島県の
　C　配属された　D　佐藤くんは

⑤宇宙空間での　A　骨の成分に　B　長期滞在は
　C　大きな影響を　D　与える

⑥中途半端な　A　相手を傷つける　B　かえって
　C　同情は　D　場合がある

⑦今後の　A　商品開発の　B　鍵を握るのは
　C　業績向上の　D　力だ

⑧師走の　A　街には　B　声を聞くと
　C　鳴り響く　D　ジングルベルが

2 次の文の〔　　〕にあてはまる適切な語句を選びなさい。

①今日の晩ご飯は〔　　〕カレーライスに違いない。
A　どうして　B　きっと　C　たとえ
D　けっして

②彼は〔　　〕といったようすで、しょんぼりとしていた。
A　青菜に塩　B　盗人に追い銭　C　餅は餅屋
D　うどの大木

③ゴミの分別を進めると、処理の〔　　〕が削減できる。
A　収支　B　経費　C　利益
D　黒字

④風が吹けば〔　　〕がもうかる。
A　風呂屋　B　紺屋　C　桶屋
D　薬屋

⑤子どもがよちよちとお母さんを追いかける姿が〔　　〕。
A　しおらしい　B　たわいない　C　なさけない
D　ほほえましい

解答・解説

1　①C　②D　③C　④B　⑤C　⑥A　⑦A　⑧D
[解説] ⑦一見A→B→C→Dの順も正しく思えるが、意味を考えればC→B→A→Dの順になる。

2　①B　②A　③B　④C　⑤D

3 次の文の〔　　〕にあてはまる適切な語句を選びなさい。

①道に迷ってしまい、〔　　〕目的地にたどり着いた。
A　きっと　B　もしかすると　C　ほとんど
D　ようやく

②今日の会議は〔　　〕３時からだと思い込んでいた。
A　きっぱり　B　ちゃっかり　C　てっきり
D　あっさり

③この映画はすばらしい出来で、前作とは〔　　〕だ。
A　暗闇から牛　B　月とすっぽん　C　月夜に提灯
D　闇夜の提灯

④私の父は、自分の考えを曲げようとしない〔　　〕だ。
A　お調子者　B　ならず者　C　がんこ者
D　なまけ者

⑤昨日の試合は、双方譲らない〔　　〕展開だった。
A　一方的な　B　拮抗した　C　だらだらした
D　ゆったりした

⑥大人ばかりの家庭で育ったので、すっかり〔　　〕になった。
A　耳年増　B　鼻つまみ　C　目利き
D　口三味線

⑦自分の気持ちがうまく伝わらなくて〔　　〕。
A　もどかしい　B　つつましい　C　こそばゆい
D　奥ゆかしい

4 A～Eの語句を並べ替えて意味の通る文にするとき、４番目にくる語句を答えなさい。

① A　母が　B　育てた　C　バラの花が
D　やっと咲いた　E　丹精を込めて

② A　感心しない　B　しゃべるのは　C　電車の中で
D　声高に　E　どうも

③ A　相手の　B　ボクサーは　C　パンチを
D　反撃に出た　E　ひらりとかわし

④ A　話題で　B　他県から来た　C　新任の
D　先生の　E　持ちきりだった

⑤ A　眠っていた　B　たんすの中に　C　10年も前に
D　流行した　E　水着が

⑥ A　谷間を　B　高山植物が　C　咲きそろった
D　美しく　E　見下ろした

解答・解説

3 ①D　②C　③B　④C　⑤B　⑥A　⑦A

[解説] ⑥「耳年増」は経験もないのに知識ばかりが豊富なこと。

4 ①C　②E　③E　④A　⑤B　⑥A

[解説] 文頭の語句が指定されていないからといって、あわてずに。「４番目」を指折り数えるとミスが減らせる。

5 次の文の〔　　〕にあてはまる適切な語句を選びなさい。

①「弘法も筆の誤り」は「猿も〔　　〕」と同じ意味だ。
A　目薬を差す　B　木から落ちる　C　木で鼻をくくる
D　狸の皮算用

②1光年は約9兆4,600億kmという〔　　〕ような距離だ。
A　気の遠くなる　B　息が詰まる　C　目を見はる
D　耳が遠くなる

③消えかかった暖炉の火が〔　　〕燃えている。
A　ぼうぼうと　B　ちろちろと　C　赤々と
D　めらめらと

④スペインは世界でも〔　　〕ワイン生産高を誇っている。
A　有名な　B　大量の　C　無数の
D　有数の

⑤ローマ法王は退位することもできる。〔　　〕ほとんどの場合、終生その地位にとどまる。
A　けれども　B　そればかりか　C　おそらく
D　あるいは

⑥あんまり派手な応援は、ひいきの〔　　〕になりかねない。
A　将棋倒し　B　つるべ落とし　C　引き倒し
D　こけら落とし

⑦親戚が〔　　〕会するのは、冠婚葬祭のときぐらいだ。
A　一同に　B　一気に　C　一堂に
D　一般に

6 Ａ～Ｅの語句を並べ替えて意味の通る文にするとき、２番目にくる語句を答えなさい。

① A 引き起こされた B 広範囲に C 台風によって
D 及んだ E 災害は

② A 津軽海峡を B 本州北端の C 北上を続け
D 桜前線が E 越えた

③ A 古文書が B 旧家の土蔵に C 地域の歴史を
D 明らかにした E 保管されてきた

④ A 確認しよう B 戸締まりと C 出かける
D 火の元を E 前には

⑤ A 寝過ごして B 兄は C 靴下をはいた
D あせっている E 歯を磨きながら

⑥ A 昨年度の B 経営を C 過剰な
D 設備投資が E 圧迫している

解答・解説

5 ①B ②A ③B ④D ⑤A ⑥C ⑦C

[解説] ①「河童の川流れ」も同じ意味。「木で鼻をくくる」はそっけない態度をいう慣用句。

6 ①A ②C ③E ④E ⑤D ⑥C

[解説] ⑤動作や行為を示す語句ばかりが並ぶが、あせりは禁物。情景を思い浮かべられれば、まず間違えない。

適性問題
10

関係把握

ポイント

●例に示された２つの語句の関係を把握して、選択肢の中から同じ関係のものを選ぶ問題。２語の関係はさまざまです
●適性検査ではよく出題される形式なので、慣れておきましょう

例題１ →の左側に示した関係と同じ関係になるように、右側の〔　〕にあてはまる語句を選びなさい。

①小麦：穀物→ホウレンソウ：〔　〕
A　果物　　B　農産物　　C　野菜
D　畑作

②短針：時計→タイヤ：〔　〕
A　自動車　　B　道路　　C　ガソリン
D　駐車場

③タンス：収納→〔　〕：拡大
A　鏡　　B　顕微鏡　　C　レンズ
D　めがね

解き方のテクニック

それぞれの関係は、①農作物とその分類、②部品と製品、③道具とその用途。レンズ・めがねの用途は拡大だけではないことに注意。

解答

①C　②A　③B

例題2 →の左側に示した関係と同じ関係になるものを、選択肢の中から選びなさい。

①板前：調理→〔　　〕

A　カメラマン：映画　　B　落語家：寄席
C　記者：取材　　D　議員：選挙運動

②日本：東京→〔　　〕

A　ロンドン：イギリス　　B　ソウル：韓国
C　中国：香港　　D　フランス：パリ

③go：went→〔　　〕

A　come：came　　B　live：living
C　become：become　　D　begin：begun

④音楽：ロック→〔　　〕

A　演出：演劇　　B　美術：彫刻
C　バレエ：舞踊　　D　小説：戯曲

⑤モンシロチョウ：あおむし→〔　　〕

A　ぼうふら：カ　　B　スズムシ：コオロギ
C　セミ：カマキリ　　D　トンボ：やご

解き方のテクニック

例題1とは多少形式が異なる。それぞれの関係は、①職業と仕事、②国名と首都、③現在形と過去形、④芸術の分野とそれに含まれるジャンル、⑤成虫と幼虫である。2つの語句の関係は同じでも、順序が逆になっている選択肢に引っかからないように。

解答

①C　②D　③A　④B　⑤D

練習問題

関係把握

1 →の左側に示した関係と同じ関係になるように、右側の〔　〕にあてはまる語句を選びなさい。

①ツバメ：鳥類→イルカ：〔　〕
A　は虫類　B　両生類　C　ほ乳類　D　魚類

②庭師：造園→作家：〔　〕
A　作品　B　執筆　C　小説　D　出版

③豚：真珠→〔　〕：小判
A　犬　B　牛　C　猫　D　鶏

④ベッド：ふとん→〔　〕：お好み焼き
A　たこ焼き　B　ピザ　C　たい焼き
D　スパゲティー

⑤カメラ：レンズ→船：〔　〕
A　スクリュー　B　水上交通　C　貨物船
D　海図

⑥牛乳：チーズ→〔　〕：毛糸
A　セーター　B　羊　C　フェルト
D　羊毛

⑦北極：南極→カナダ：〔　〕
A　ドイツ　B　エジプト　C　アルゼンチン
D　インド

2 →の左側に示した関係と同じ関係になるように、右側の〔　〕にあてはまる語句を選びなさい。

①アジア：ベトナム→ヨーロッパ：〔　　〕
A　オーストリア　B　トルコ　C　オーストラリア
D　カンボジア

②山梨県：甲斐→〔　　〕：紀伊
A　神奈川県　B　和歌山県　C　兵庫県
D　鹿児島県

③厚生労働省：福祉→〔　　〕：港湾整備
A　国土交通省　B　農林水産省　C　文部科学省
D　経済産業省

④サッカー：オフサイド→バレーボール：〔　　〕
A　ファウル　B　タッチネット　C　ホームラン
D　セッター

⑤銀行：金融機関→〔　　〕：小売店
A　ブランド　B　デザイナー　C　プレタポルテ
D　ブティック

解答・解説

1 ①C　②B　③C　④B　⑤A　⑥D　⑦C
[解説]④洋風と和風で対比されるもの。⑥原料と加工品。⑦北半球と南半球。

2 ①A　②B　③A　④B　⑤D
[解説]②県名とその旧国名。③省名とその管轄する業務。

3 →の左側に示した関係と同じ関係になるものを、選択肢の中から選びなさい。

①大隅半島：鹿児島県→〔　　〕

A　紀伊半島：近畿地方　　B　房総半島：千葉県

C　能登半島：新潟県　　D　神奈川県：三浦半島

②一生一代：一世一代→〔　　〕

A　牛飲馬食：鯨飲馬食　　B　一朝一夕：一鳥一石

C　一念奮起：一念発起　　D　無芸大食：無為徒食

③ＪＩＳ：日本産業規格→〔　　〕

A　ＮＰＯ：非政府組織　　B　ＩＡＥＡ：国際通貨基金

C　ＷＨＯ：世界貿易機関　　D　ＯＰＥＣ：石油輸出国機構

④電気ポット：やかん→〔　　〕

A　ほうき：掃除機　　B　テレビ：ラジオ

C　うちわ：扇風機　　D　電卓：そろばん

⑤自動車：飛行機→〔　　〕

A　イノシシ：クジラ　　B　ツバメ：マントヒヒ

C　ピューマ：カモメ　　D　カエル：オタマジャクシ

⑥会議室：オフィス→〔　　〕

A　公民館：公会堂　　B　楽屋：劇場

C　体育館：更衣室　　D　学校：教室

⑦茨城県：水戸市→〔　　〕

A　愛知県：名古屋市　　B　福岡県：北九州市

C　大津市：滋賀県　　D　山梨県：山梨市

4 →の左側に示した関係と同じ関係になるものを、選択肢の中から選びなさい。

①knife：knives→〔　　〕

A　love：lovers　　B　child：children
C　geeth：gooth　　D　have：has

②do：done→〔　　〕

A　see：saw　　B　write：wrote
C　fly：flew　　D　forget：forgotten

③up：down→〔　　〕

A　reply：answer　　B　flesh：reflesh
C　right：wrong　　D　uncle：cousin

④good：food→〔　　〕

A　cook：boom　　B　book：look
C　cool：poor　　D　loose：pool

解答・解説

3　①B　②C　③D　④D　⑤C　⑥B　⑦A

[解説]②用字の誤りと正しいもの。A・Dはどちらも正しい。③ローマ字略語と日本語訳。「ＮＰＯ」は特定非営利組織、「ＩＡＥＡ」は国際原子力機関、「ＷＨＯ」は世界保健機関。④同じ用途の新旧の道具。⑤陸を走るものと空を飛ぶもの。⑦県名と県庁所在地。「福岡県」は福岡市、「山梨県」は甲府市が県庁所在地。

4　①B　②D　③C　④A

[解説]①単数形と複数形。②現在形と過去分詞。③反対語。④“oo”の部分の発音が[u]と[u:]。

5 →の左側に示した関係と同じ関係になるものを、選択肢の中から選び、順に書きなさい。

①通行：道路→〔　　：　　〕

A　停留所　　B　バス　　C　運行
D　電車　　E　乗降

②カレーライス：らっきょう→〔　　：　　〕

A　焼きそば　　B　ぎょうざ　　C　紅しょうが
D　ラーメン　　E　キムチ

③図書館：本→〔　　：　　〕

A　美術館　　B　番組　　C　インターネット
D　郵便局　　E　情報

④自動車：ガソリン→〔　　：　　〕

A　インク　　B　プリンタ　　C　パソコン
D　メモリ　　E　マウス

⑤木：葉→〔　　：　　〕

A　めがね　　B　におい　　C　鼻
D　顔　　E　呼吸

⑥医者：不養生→〔　　：　　〕

A　目薬　　B　紺屋　　C　赤烏帽子
D　白袴　　E　桶屋

⑦立方体：正方形→〔　　：　　〕

A　正六角形　　B　直方体　　C　長方形
D　正五角形　　E　正四面体

6 →の左側に示した関係と同じ関係になるものを、選択肢の中から選び、順に書きなさい。

①週刊誌：雑誌→〔　　：　　〕

A　和菓子　　B　寒天　　C　洋菓子
D　水ようかん　　E　生クリーム

②cow：beef→〔　　：　　〕

A　chicken　　B　pork　　C　egg
D　sheep　　E　pig

③アンタレス：さそり座→〔　　：　　〕

A　デネブ　　B　オリオン座　　C　ベガ
D　シリウス　　E　はくちょう座

④鶴岡八幡宮：鎌倉→〔　　：　　〕

A　出雲大社　　B　東大寺　　C　奈良
D　善光寺　　E　京都

解答・解説

5　①E：A　②A：C　③C：E　④B：A　⑤D：C　⑥B：D　⑦B：C

[解説] この形での問題では、解答の順序を間違えないように注意する。①行為とそれをする場所。②料理と定番の付け合わせ。③施設等とそこで利用するもの。④道具とそれを使うときの消耗品。⑤物とその一部分。⑥同じことわざに含まれる語句。

6　①D：A　②E：B　③A：E　④B：C

[解説] ①「週刊誌」は「雑誌」の一種。②家畜と肉の呼び方。③星とそれを含む星座。④寺社とその所在地。

適性問題
11

クレペリン

ポイント

- 仕事の速さ・正確さや、性格特性・行動特性をみる検査
- 集中力、注意力を持続させることが大切です
- 反復練習によって、かなりのレベルアップが図れます

例　題　隣り合う２つの数の和を求め、その１の位を２つの中間の下に書いていきなさい。（制限時間：１問30秒）

①

8　4　6　5　7　3　9　4　8　2　7　5　9

3　8　9　6　5　2　8　4　7　6　5　9　3

7　4　9　6　8　3　9　5　7　4　5　2　8

5　9　3　7　2　8　7　4　8　5　9　6　4

②

7　9　3　8　4　5　6　4　8　9　2　6　7

9　5　7　4　8　2　6　5　9　4　7　6　8

6　9　5　8　3　7　5　6　9　2　8　7　4

5　7　9　6　2　9　3　6　3　7　4　5　8

●クレペリン検査は、性格特性や行動特性などに関する作業検査法である。就職試験では、実施するところもしないところもある。さまざまなタイプのものがあるが、代表的な内田クレペリン検査では、例題のような作業を1回1分ずつ、前半15回、後半15回の計30回、5分の休憩をはさんで繰り返す。

●実際の検査用紙では、1回分の数字が1行に印刷されている。各行の作業の最後の数字を線で結んだ作業曲線（下図参照）の形をはじめ、作業量、正確さなどから、その人のさまざまな特性を分析する。

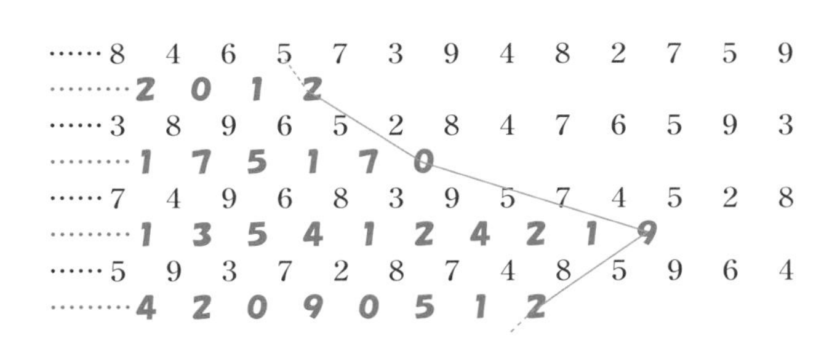

●最初は集中力も意欲も高いため、作業量・正確さともにすぐれている場合が多い。作業を進めるにつれて疲れ、集中力や注意力が低下して、作業量が減少したり正確さに欠けてきたりする。一方、慣れることで作業量や正確さが向上したりもする。各回の作業結果にはばらつきが出てくることになるが、その変化のようすから、検査を受けた人の特性を明らかにするという考え方である。

●クレペリン検査は、仕事量の多少や正確さだけを見るものではないが、速く正確に行えるに越したことはない。練習によってかなりレベルアップできるので、繰り返し練習しておきたい。

練習問題

クレペリン

1 隣り合う２つの数の和を求め、その１の位を２つの中間の下に書いていきなさい。 （制限時間：１問１分）

①

8　7　2　6　9　5　3　6　9　4　7　8　5　3

2　3　6　5　8　4　7　2　6　9　5　6　4　2

8　9　4　5　9　2　6　3　5　7　6　7　5　9

6　2　7　3　8　5　4　9　6　3　2　5　7　2

5　9　6　3　7　2　8　4　7　2　9　4　5　3

2　5　9　7　8　5　4　3　6　9　5　8　6　2

4　9　8　5　7　3　6　8　9　4　2　3　7　6

7　3　4　6　9　8　2　5　3　7　4　5　2　6

②

9　5　6　3　8　4　7　9　4　2　8　7　2　5

3　6　8　4　9　5　9　7　2　5　8　6　3　4

5　7　2　9　7　6　9　3　4　8　6　3　5　8

6　2　5　9　7　8　5　4　6　3　7　2　5　9

4　7　3　5　2　8　9　8　6　9　3　7　2　5

9　5　7　2　8　7　6　3　4　9　8　5　4　2

7 9 2 3 5 8 4 9 6 4 8 5 6 2

4 9 2 3 8 4 5 7 9 6 8 2 7 6

③ 6 5 9 8 2 4 3 7 5 4 6 2 3 7

5 8 3 9 5 4 6 9 7 3 4 6 8 7

6 2 7 5 4 9 3 6 9 5 8 6 2 4

8 9 4 7 4 5 6 9 7 3 2 8 5 6

7 2 5 9 3 6 8 9 4 5 4 8 9 4

3 8 5 2 7 8 9 6 7 4 8 2 3 9

5 7 9 4 6 2 9 8 5 3 8 7 2 6

4 5 2 8 9 7 3 6 8 7 5 4 9 7

④ 7 2 9 8 5 6 7 3 4 9 3 8 5 4

5 8 2 9 4 5 7 3 8 6 3 7 9 2

9 5 7 2 6 4 3 8 7 4 5 8 9 6

6 7 3 2 8 5 4 9 3 6 7 8 5 2

8 9 5 7 2 6 8 4 2 9 5 3 7 6

5 3 9 6 8 9 2 7 4 6 3 9 6 4

4 8 6 9 7 5 6 3 9 3 5 2 7 8

9 7 3 6 8 4 2 9 5 3 8 6 2 7

2 隣り合う２つの数の和を求め、その１の位を２つの中間の下に書いていきなさい。　　（制限時間：１問１分）

① 6 8 4 7 6 3 5 8 3 9 5 4 7 8

4 7 6 9 5 8 3 5 4 8 7 8 5 3

3 6 9 5 4 5 8 7 5 8 9 4 7 6

5 8 4 9 3 4 7 5 8 6 4 9 3 5

6 8 9 3 5 3 7 4 9 5 8 6 8 3

7 6 3 9 5 4 8 9 8 4 6 3 5 7

5 6 9 7 3 5 4 7 8 5 3 9 7 6

8 5 3 4 9 7 8 6 4 5 9 3 4 7

② 6 3 9 4 7 5 8 7 4 3 8 6 9 5

3 8 6 7 5 9 4 9 5 8 6 9 4 5

5 7 4 9 7 3 6 5 8 4 5 9 6 3

9 6 8 3 4 5 9 7 6 4 3 7 5 8

4 5 9 7 3 6 3 8 5 7 8 9 6 4

5 7 3 9 5 6 4 8 7 3 4 6 9 3

4 6 8 4 7 9 7 3 9 6 5 9 4 7

7 8 6 7 3 5 8 6 4 5 3 9 8 3

③ 9 7 3 6 4 8 6 5 7 8 4 5 3 9

8 6 4 9 7 8 4 3 5 7 3 5 7 9

5 9 6 3 5 7 8 4 3 5 6 4 9 7

9 5 7 5 8 4 6 3 9 4 6 8 4 7

4 9 7 6 3 3 9 8 5 4 6 3 7 8

3 8 3 9 5 7 6 4 9 5 3 8 7 5

7 8 3 6 5 6 9 7 4 9 8 6 4 7

5 9 8 3 4 3 6 7 4 6 9 8 5 6

④ 7 6 9 4 5 3 7 8 5 5 9 4 8 3

3 9 6 5 5 4 8 6 3 7 5 7 4 5

6 4 8 6 9 4 9 3 6 8 5 7 3 7

5 9 3 4 7 8 4 3 6 4 7 6 5 4

8 3 5 9 7 6 5 4 7 8 4 9 6 8

7 5 9 5 6 4 8 3 7 5 9 6 4 3

5 9 7 4 7 6 3 8 6 3 4 5 7 9

8 3 5 4 6 7 5 9 3 7 8 5 3 6

3 隣り合う２つの数の和を求め、その１の位を２つの中間の下に書いていきなさい。（制限時間：１問１分）

① 3 9 5 6 8 4 5 2 8 7 5 7 3 4

6 7 3 2 9 7 6 4 3 5 8 5 4 8

2 9 4 7 6 3 5 4 8 7 5 6 3 9

9 2 6 7 4 5 8 7 3 2 9 7 3 8

5 7 4 2 9 8 5 6 8 3 4 5 8 6

4 2 7 9 4 5 8 6 2 3 6 5 7 3

7 3 9 8 5 4 2 3 5 7 6 8 4 9

3 9 5 7 2 5 4 8 3 6 4 7 8 2

② 5 7 9 2 4 6 3 6 5 7 8 4 5 6

3 9 7 8 5 2 8 6 3 8 5 2 4 3

6 4 9 8 5 7 4 5 2 9 7 8 4 6

8 9 5 3 7 4 2 3 8 7 9 5 6 4

2 5 4 9 7 8 6 5 3 8 7 5 6 9

5 8 3 5 9 8 6 2 4 8 6 3 5 3

4 9 2 7 8 6 5 8 7 2 3 9 2 4

7 4 9 8 2 3 7 5 4 6 8 9 5 2

③	6	5	9	7	2	4	6	7	3	8	7	9	5	2
	3	7	5	6	9	2	4	3	7	6	5	8	2	8
	9	2	5	8	7	3	5	4	3	8	7	9	2	6
	5	7	9	2	5	4	3	6	7	9	2	8	4	6
	4	7	2	3	5	6	8	2	9	6	8	3	7	5
	8	4	9	2	3	5	7	4	8	7	4	6	5	3
	7	3	4	8	6	8	3	5	2	9	4	5	7	2
	4	8	6	9	5	7	2	8	7	4	3	9	5	6
④	5	8	3	9	7	4	8	6	5	8	3	9	4	7
	3	5	9	2	4	6	9	7	8	6	2	7	9	4
	7	4	8	3	7	9	2	4	5	7	4	8	6	2
	6	3	9	4	5	8	5	7	2	6	7	4	5	9
	9	7	8	6	2	7	4	3	6	5	9	2	6	5
	2	9	6	5	7	8	3	6	5	8	3	4	7	9
	5	7	9	2	8	6	3	5	8	5	7	2	4	5
	4	9	7	6	3	8	4	5	2	6	8	5	7	2

判断推理

ポイント

●与えられた条件から合理的に判断できる結論を問う問題です
●条件を図や表にまとめるとわかりやすくなります
●適性検査の中では比較的難度が高いので、十分な練習を

例題1 次の文章を読んで、A～Eから正しいものを選びなさい。

田中君は、運動場のＰ地点から東へ向かって24m歩いた。次に南へ６ｍ、西へ18m、北へ14m歩き、最後に西へ向かって12m歩いた。

A　田中君は今、P地点の東４ｍ、北６ｍの位置にいる。
B　田中君は今、P地点の西６ｍ、北８ｍの位置にいる。
C　田中君は今、P地点の東２ｍ、南４ｍの位置にいる。
D　田中君は今、P地点の西８ｍ、南８ｍの位置にいる。
E　田中君は今、P地点にいる。

解き方のテクニック

単純な問題だが、図示して考えないと間違えやすい。問題文の順に沿って歩いた向きと距離を描いていけばよい。実際の試験では、もう少し複雑なものも出題されることがある。

解答

B

例題2 次の文章を読んで、問いに答えなさい。

縦3つ×横2つに並べた座席にア・イ・ウ・エ・オ・カの6人が座っている。アは左側の列でイのすぐ前に、ウはエの右隣に座っている。イはウより後ろに座っている。

①上のことから確実にいえるのは、A～Dのどれか。

A　アは、エよりも前に座っている。
B　イは、オよりも後ろに座っている。
C　ウは、カよりも後ろに座っている。
D　エは、アと同じ側に座っている。

②オがウの1つおいた後ろに座っているとすれば、アの隣に座っているのはだれか。

A　イ　　B　ウ　　C　エ　　D　オ　　E　カ

条件を順に図示していく。
(1)アは左側の列でイのすぐ前（右図(1)）
(2)ウはエの右隣（右図(2)）
これだけではア・イとウ・エの前後関係は確定できないが、
(3)イはウより後ろ
なので、ウ・エがいちばん前とわかる。
①のA・Cは誤り、Bは確実ではない。

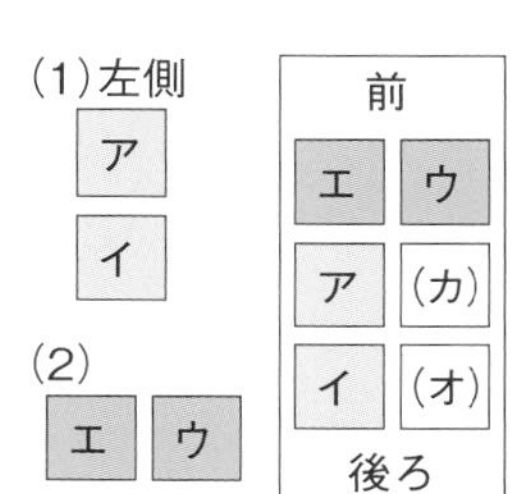

解答

①D　②E

練習問題

判断推理

1 次の文章を読んで、問いに答えなさい。

鈴木君は、運動場のＰ地点から北へ向かって10ｍ歩いて、そこで右へ直角に曲がって同じ距離だけ歩いた。次に、右へ直角に曲がって５ｍ歩き、もう一度右へ直角に曲がり同じ距離だけ歩いた。そこで左へ直角に曲がって３ｍ歩き、もう一度左へ直角に曲がり同じ距離だけ歩いて、Ｑ地点にいる。

①鈴木君がいるＱ地点は、次のどこか。

Ａ　Ｐ地点の東３ｍ、北５ｍの地点
Ｂ　Ｐ地点の東８ｍ、北２ｍの地点
Ｃ　Ｐ地点の東５ｍ、北８ｍの地点
Ｄ　Ｐ地点の東３ｍ、北８ｍの地点
Ｅ　Ｐ地点の東２ｍ、北３ｍの地点

②佐藤君は、Ｐ地点から西へ向かって３ｍ歩いて、そこで左へ直角に曲がって同じ距離だけ歩いた。そこで左へ直角に曲がって５ｍ歩いて、Ｒ地点にいる。佐藤君がいるＲ地点は、次のどこか。

Ａ　Ｑ地点の西３ｍ、南５ｍの地点
Ｂ　Ｑ地点の西８ｍ、北１ｍの地点
Ｃ　Ｑ地点の西６ｍ、南５ｍの地点
Ｄ　Ｑ地点の西２ｍ、北６ｍの地点
Ｅ　Ｑ地点の西５ｍ、南５ｍの地点

③Ｐ地点－Ｑ地点間の距離と、Ｐ地点－Ｒ地点間の距離は、どちらのほうが長いか。

Ａ　Ｐ地点－Ｑ地点間の距離のほうが長い。
Ｂ　Ｐ地点－Ｒ地点間の距離のほうが長い。
Ｃ　どちらも同じ距離である。

2 次の文章を読んで、問いに答えなさい。

縦4つ×横2つに並べたいすに、ア・イ・ウ・エ・オ・カ・キ・クの8人が座っている。アは左側の列に座り、イはアと同じ側の1つおいた後ろに座っている。ウはイの隣に座っていて、いちばん後ろではない。エはアの、オはカの隣に座っていて、オはエと同じ側のウよりも後ろに座っている。

①上のことから確実にいえるのは、A～Dのどれか。

A　アは、キよりも後ろに座っている。
B　イは、クよりも後ろに座っている。
C　ウは、キと同じ側に座っている。
D　エは、クと同じ側に座っている。

②キがオと同じ側に座っているとすれば、アのすぐ後ろに座っているのはだれか。

A　イ　　B　ウ　　C　カ　　D　キ　　E　ク

解答・解説

1　①B　②C　③A

[解説] 鈴木君・佐藤君が歩いたようすを図示すると、Q地点・R地点は下の左図の位置になる。③三平方の定理を使って計算してもよいが、正しく図示できていれば、一目瞭然。

2　①B　②E

[解説] ①条件を順に図示していくと、ア・イ・ウ・エ・オ・カの位置は右図のように確定できる。したがってAは誤り、C・Dは確実とはいえない。

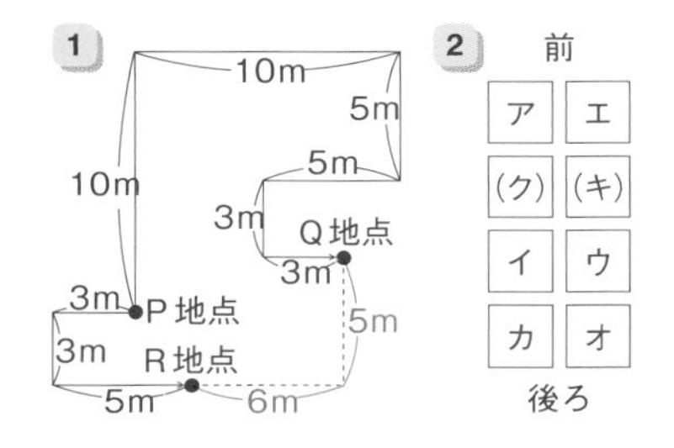

3 次の文章を読んで、問いに答えなさい。

円形のテーブルを囲んで等間隔に置かれたいすに、ア・イ・ウ・エ・オ・カの６人が座っている。アの右隣にはイが座っている。イの１つおいた左隣にはウが座っている。エの１つおいた右隣にはウが座っている。オの左隣にはエが座っている。では、カの向かいに座っているのはだれか。

A　ア　　B　イ　　C　ウ　　D　エ　　E　オ

4 命題「和食が好きな人は、洋食が嫌いだ」が真だとすれば、確実にいえることはＡ～Ｅのどれか。

A　洋食が嫌いな人は、和食が好きだ。

B　和食が嫌いな人は、洋食が好きだ。

C　洋食が好きな人は、和食が嫌いだ。

D　和食と洋食が両方とも好きな人がいる。

5 次の⑴～⑸の命題がすべて真だとすれば、確実にいえることはＡ～Ｅのどれか。

⑴色白な人は、ピンクが似合う。

⑵北国生まれの人は、スキーが得意だ。

⑶北国生まれの人は、色白だ。

⑷ピンクが似合う人は、白が似合う。

⑸スキーが得意な人は、夏が嫌いだ。

A　スキーが得意な人は、ピンクが似合う。

B　北国生まれの人は、白が似合う。

C　ピンクが似合う人は、色白だ。

D　白が似合う人は、色白だ。

E　色白な人は、夏が嫌いだ。

6 次の文章を読んで、問いに答えなさい。

ア・イ・ウの３人がいる。アの年齢からイの年齢を引くと、ウの年齢の１の位と10の位を足した数になり、ウの年齢の１の位と10の位を掛けると５になる。アとイの年齢を足して２で割るとウの年齢になる。３人とも10代だとすると、アは何歳か。

A　14歳　　B　15歳　　C　16歳　　D　17歳　　E　18歳

解答・解説

3 C

[解説] 図示すると、全員がどのように座っているかわかる。

4 C

[解説] 命題が真であっても、前提と結果を入れ替えた「逆」、および前提と結果の両方を否定した「裏」は必ずしも真とはかぎらない。しかし、前提と結果の両方を否定し、順序を入れ替えた「対偶」は必ず真である。命題と対偶は真だからＤは誤り。

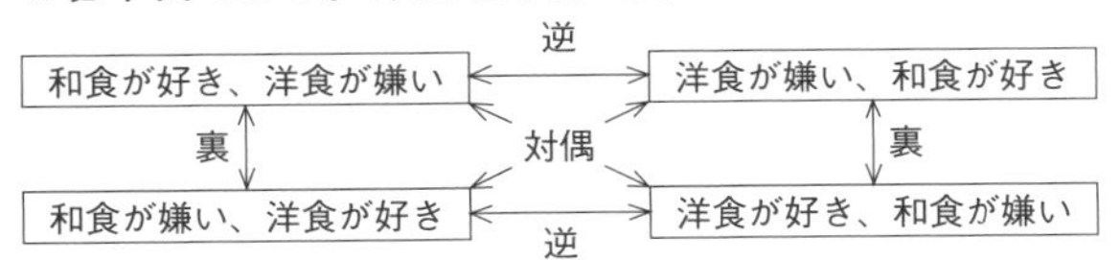

5 B

[解説] 下のように図示して考えるとよい。逆は必ずしも真ではない。

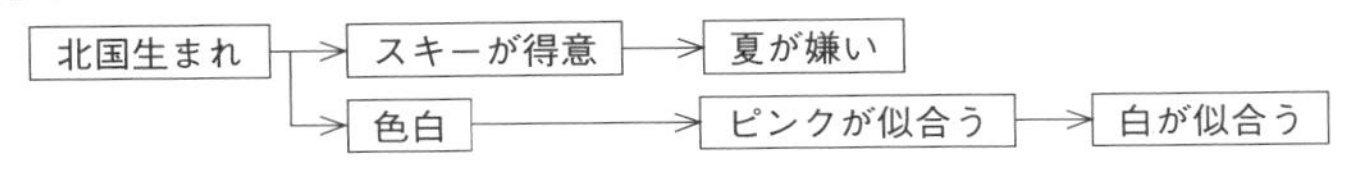

6 E

[解説]「３人とも10代」なので、ウの年齢は15歳。よって、アとイの年齢の差は６、和は30である。

7 次の文章を読んで、問いに答えなさい。

赤井さん、青田さん、緑川さんの３人は、それぞれ赤、青、緑のいずれかのＴシャツを着ている。同じ色のＴシャツを着ている人はいない。赤井さんは「私たちは全員、自分の名前の色とは違う色のＴシャツを着ているね」と言った。すると青いＴシャツを着ている人が「そうだね」と言った。赤井さんが着ているＴシャツは何色か。

Ａ　緑　　Ｂ　青　　Ｃ　赤　　Ｄ　判断できない

8 次の文章を読んで、問いに答えなさい。

トランプの赤のカードが１枚、黒のカード２枚がある。このことを知っているア・イ・ウの３人に、自分のカードの色だけがわかるようにして、カードを１枚ずつ手渡した。３人に「自分のカードの色を見て、ほかの２人のカードの色がわかりますか」と聞いた。アは「イとウのカードの色はわかりません」と答えた。するとイが「今のアの答えを聞いたので、アとウのカードの色がわかりました」と言った。ア・イ・ウが手渡されたカードは、それぞれ何色だったのか。

Ａ　アが赤、イが黒、ウが黒　　Ｂ　アが黒、イが赤、ウが黒
Ｃ　アが黒、イが黒、ウが赤　　Ｄ　判断できない

9 次の文章を読んで、問いに答えなさい。

８枚の金貨がある。このうち１枚だけが偽物で、見かけは同じだが、本物の金貨よりも少し軽い。天秤だけを使って偽物を見分けたい。天秤を最低何回使えば、偽物を見分けることができるか。

Ａ　１回　　Ｂ　２回　　Ｃ　３回　　Ｄ　４回　　Ｅ　５回

10 次の文章を読んで、問いに答えなさい。

三つ子の太郎・二郎・三郎は、見た目では区別がつかない。太郎は必ず本当のことを言う正直者、二郎は本当のことも言うがうそもつく気まぐれ屋、三郎は必ずうそをつくうそつきである。花子が3人の家を訪ねると、3人が横に並んで座っていた。花子が「中央に座っているのはだれですか」と聞くと、左の人は「彼は太郎です」、中央の人は「私は三郎です」、右の人は「彼は二郎です」と答えた。左・中央・右に座っているのは、それぞれだれか。

A　左が太郎、中央が二郎、右が三郎
B　左が二郎、中央が三郎、右が太郎
C　左が三郎、中央が二郎、右が太郎
D　左が二郎、中央が太郎、右が三郎

解答・解説

7 A

[解説] 赤井さんのTシャツは青か緑だが、青は別の人が着ている。

8 C

[解説] イ・ウのカードの色がわからないアは黒のカード。イはアの発言を聞いて、はじめてそのことがわかったのだから、黒のカード。

9 B

[解説] まず金貨を3枚ずつ天秤で量る。釣り合った場合は、残りの2枚を量る。釣り合わなければ、軽いほうの3枚のうち2枚を量る。

10 C

[解説] 中央の人は「私は三郎」と言ったので、正直者の太郎、うそつきの三郎ではなく、二郎である。だから、中央の人を「太郎」と言った左がうそつきの三郎、「二郎」と言った右が正直者の太郎。

適性問題
13

記憶

ポイント

- 文章を読んで内容を覚え、ほかの作業をしてから記憶に基づいて文章の内容に関する設問に答える問題です
- ５Ｗ１Ｈ、固有名詞、数などは、確実に覚えることが大切

例　題　次の文章の内容を覚えながらていねいに読み、15分間ほかの作業をしてから、問いに答えなさい。

　友代は、高校時代からの友人である由美、奈津子、香織と伊豆へ出かけるために、東京駅へ向かっていた。今年の夏は、８月13日から21日まで、つまり土曜日から次の日曜日まで連続９日間もの休暇が取れた。その前半を、彼女たちとの「いつもの伊豆旅行」にあてたのだ。

　香織の都合で、出発は休暇の２日目から、２泊３日の予定だ。集合は東海道線のホームに午前９時10分。友代が10分前に到着すると、奈津子と香織が先に来ていた。「久しぶり。由美はまだ？」「一番乗りは奈津子よ。もちろん由美はまだ」と、香織がにやにやしながら答えた。

　奈津子は「お昼は着いてからでいいよね」というと、４人分の飲み物を買いにいった。由美は９時９分に現れて、おっとりとした口調で「おはよう」といった。４人が集まるときは、いつも奈津子が最初に来て、由美が最後と相場が決まっているのだった。

　列車は、定刻の９時26分に出発した。12時半過ぎには目的地の下田に着く。いつものように乗馬と、今回は由美の提案で、初めてのスキューバダイビングにも挑戦することになっていた。

（15分間、ほかの作業をしなさい）

①友代の夏の休暇は８月の何日から何日間か。

A　13日から９日間　　B　14日から３日間

C　15日から９日間　　D　21日から３日間

②旅行の出発日は、だれの都合で決まったか。

A　友代　　B　由美　　C　奈津子　　D　香織

③４人が集まるとき、いつも最初に来る人・最後に来る人はだれか。

A　友代・由美　　B　奈津子・由美

C　香織・奈津子　　D　香織・友代

④目的地には、何時ごろ到着する予定か。

A　11時過ぎ　　B　11時半過ぎ

C　12時過ぎ　　D　12時半過ぎ

⑤４人が今回初めて挑戦することの提案者と、その内容を答えなさい。

A　友代が提案した乗馬

B　由美が提案したスキューバダイビング

C　奈津子が提案したスキューバダイビング

D　香織が提案した乗馬

解き方のテクニック 

慣れると、問われそうな点に注意しながら読めるようになる。時間経過に沿って覚える、自分に関連づけて覚える、場面を思い浮かべて覚えるなど、自分なりの記憶方法を工夫しておくとよい。

解答

①A　②D　③B　④D　⑤B

練習問題

記憶

1 次の文章の内容を覚えながらていねいに読み、15分間ほかの作業をしてから、問いに答えなさい。

光彦が子ども時代を過ごしたのは、紀伊山地の山懐に抱かれた、とある小さな村である。村の鎮守社の境内には、ご神木とされる巨大な楠の老樹がそびえ、社の裏手はご神体とされる山に続いていた。村の中を通る熊野古道には「王子」と呼ばれる小さなほこらがあった。そこは腕白どもの格好の遊び場ではあったが、いたずらをするのは何となくはばかられるような、そんな場所であった。

紀伊山地は、古くから神々が宿る神聖な地域と考えられてきた。中国から伝来した仏教も、深い森林に包まれた紀伊山地を阿弥陀仏や観音菩薩の浄土に見立て、やがて山岳修行の場とした。こうして紀伊山地には、その起源や内容を異にする吉野・大峯、熊野三山、高野山という３つの山岳霊場と参詣道が形成されていった。

院政期には、法皇らの熊野詣でが盛んに行われる。平城法皇、花山法皇、白河法皇、堀河天皇、鳥羽法皇、そして後白河法皇は熊野本宮だけで34回も参詣したという。その後も、熊野三山のご利益を遊説して回る先達らに導かれて、全国から多くの人々が訪れ、日本の宗教・文化の発展と交流に、少なからぬ影響を及ぼした。

そんな土地で育ったことは、光彦が民俗学の研究を自らの仕事に選んだ大きな要因だった。文献中心の歴史学、出土遺物中心の考古学と異なり、民俗学はいわば「人々の暮らし」を手掛かりに、歴史を読み解いていく学問である。もちろん旧家の土蔵に保存されてきた文献資料や、発掘されたさまざまな道具類なども研究対象である。しかし、祭りの習俗や農耕・漁労の儀礼、伝説や伝承の調査といったフィールド・ワークの手法が、もっとも大きな比重を占める。

光彦は、古老が伝える伝承の聞き取り調査をしながら、子どものころ、祖父が役行者の伝説を語り聞かせてくれた炉端の情景を、ふと思い出すことがある。祖父の家の炉端には、1300年も前の修験道の開祖とされる人物が、今も身近にいきいきと息づいていた。

（15分間、ほかの作業をしなさい）

①光彦が育った村の熊野古道には、次のどれがあったか。

A　巨大な楠の老樹　　B　王子と呼ばれるほこら
C　村の鎮守社　　D　山岳修行の場
E　ご神体とされる山

②後白河法皇が34回も参詣したという場所はどこか。

A　熊野三山　　B　吉野・大峯　　C　紀伊山地
D　高野山　　E　熊野本宮

③民俗学でもっとも大きな比重を占める研究手法は、次のどれとされているか。

A　文献資料研究　　B　出土遺物研究　　C　先達の遊説
D　道具類の研究　　E　フィールド・ワーク

④熊野詣でをした法皇として、名があげられていないのはだれか。

A　後鳥羽法皇　　B　平城法皇　　C　白河法皇
D　鳥羽法皇　　E　花山法皇

解答・解説

1　①B　②E　③E　④A

[解説] 地名や人名がたくさん出てくるが、確実に記憶したい。光彦に関連する内容と、その他の内容が入り組んでいて、やや記憶しにくいが、このような場合は「紀伊山地」「熊野詣で」「民俗学」などのように見出しを立て、整理して記憶するとよい。

2 次の文章の内容を覚えながらていねいに読み、15分間ほかの作業をしてから、問いに答えなさい。

プレートテクトニクス理論は、今日では地球科学の標準理論となっている。地球の表面は、プレートと呼ばれる厚さ約100kmほどの岩盤で覆われている。プレートは、ユーラシア・太平洋・オーストラリア・北米・南米・アフリカ・南極の７つに大きく分かれている。ほかにフィリピン海・インド・ナスカなどの小さなプレートがあり、地球全体では大小合わせて十数枚に分かれている。プレートはマントルの対流に乗って、１年に数cm程度の速さで移動している。そして、この運動が火山の噴火や地震、山脈の形成をはじめとする造山運動などの原動力となっているのである。

プレートテクトニクス理論の歴史に触れるときに必ず紹介されるのは、大陸移動説を最初に唱えたアルフレッド＝ウェゲナーである。ウェゲナーは、プロテスタントの牧師だった父リヒャルトと母アンナの子として、1880年にベルリンで生まれた。大陸移動説は1912年、彼がマルブルク大学の講師であった当時に発表された。

大西洋の両岸の形が、ジグソーパズルの隣り合うピースのようによく符合することは、多くの人が気づくだろう。ウェゲナーは、その理由を、元は１つであった大陸が分割され、移動したためであると考えた。彼は、大西洋両岸の対応する部分の地質や化石に多くの共通点があることを見出し、大陸移動説の根拠とした。

この仮説は、発表された当時は注目を集めたものの、結局あまり支持されず、やがて忘れ去られていった。しかし、1950年代の後半になって古磁気学の研究が進み、古生代カンブリア紀の地磁気分布が大陸の移動を証拠立てることがわかると、大陸移動説は一躍脚光を浴びることとなった。

1960年代に入ると、海底の山脈である海嶺で新たな海洋底が作られ、両側に拡大しているという海洋底拡大説が唱えられ、海洋底の磁気異常の研究から、これが確かめられるようになった。海洋底拡大説は、大陸移動説の弱点であった大陸移動の原動力を明らかにするものであり、ここから現在のプレートテクトニクス理論が発展したのである。

（15分間、ほかの作業をしなさい）

①プレートの厚さは、どれぐらいか。

A　約50km　B　約100km　C　約150km
D　約200km　E　約250km

②プレートは1年間にどれぐらい移動するか。

A　数cm程度　B　十数cm程度　C　数十cm程度
D　数m程度　E　十数m程度

③「小さなプレート」は、次のうちのどれか。

A　太平洋　B　南極　C　オーストラリア
D　アフリカ　E　インド

④ウェゲナーが大陸移動説の根拠としたのはどんなことか。

A　マントル対流によるプレートの移動
B　大西洋両岸の形の符合
C　大西洋両岸の対応する部分の地質や化石の共通点
D　海洋底の磁気異常と海洋底拡大説
E　古生代カンブリア紀の地磁気分布

解答・解説

2　①B　②A　③E　④C

[解説] カタカナ表記の語句が多く、やや記憶しにくい。７つの大きなプレートのうち６つが大陸名であることに気づけば、記憶がぐんと楽になる。④単に文中の語句を覚えるだけでなく、その関連性をきちんと把握して記憶することが大切。

3 次の文章の内容を覚えながらていねいに読み、15分間ほかの作業をしてから、問いに答えなさい。

鉄の原料となる鉄鉱石や砂鉄は、鉄と酸素の化合物である酸化鉄として存在している。鉄を生産するには、鉄鉱石や砂鉄を酸素と結合しやすい炭素とともに高温で加熱し、還元しなければならない。こうして得られた鉄を銑鉄という。銑鉄は硬いがもろく、低品質の鋳物にしか使えない。銑鉄より強度の高い鋼を生産するには、精錬の過程で溶け込んだ炭素や、ケイ素・マンガン・リン・硫黄などの不純物を減らさなければならず、より高度な技術が必要とされる。

製鋼技術は、鉄製の武器を背景にアナトリア（現在のトルコ）で強大な勢力を誇ったヒッタイト帝国（紀元前14～12世紀）で前13世紀ごろ確立されたとされる。しかし、カマン・カレホユック遺跡から出土した鉄片が、この説の見直しを迫っている。

カマン・カレホユック遺跡は、トルコの首都アンカラの南東およそ100kmに位置し、基底部の長径約280m、高さ約16mの楕円形の遺丘である。ここには、紀元前23世紀ごろからオスマン・トルコ時代まで、約4000年間にわたって集落が営まれた。

中近東文化センター（東京都三鷹市）が1986年から同遺跡の調査を続けており、94年に出土した鉄片の分析を岩手県立博物館に依頼していた。その結果、出土した鉄片は炭素の含有量が0.1～0.3％の鋼であることが確認された。出土した地層やトルコのほかの遺跡で発見された鉄との比較などによって、アッシリア植民地時代（紀元前20～18世紀）の前19世紀ごろの遺物と推定でき、世界最古の鋼であることがわかったのである。この発見によって、製鋼技術の起源は600年ほどさかのぼることになった。

（15分間、ほかの作業をしなさい）

①鉄鉱石や砂鉄の還元に用いられるものは何か。

A　リン　　B　炭素　　C　硫黄
D　ケイ素　　E　マンガン

②アナトリアのヒッタイト帝国は、何を背景に強大な勢力を誇ったとされているか。
A　鉄製の武器　B　鋳物の生産　C　鉄鉱石の採掘
D　砂鉄の交易　E　銑鉄の精錬

③銑鉄にはどのような性質があるか。
A　炭素が少ない　B　鋼より強度が高い
C　硬いがもろい　D　不純物が少ない
E　酸化しやすい

④カマン・カレホユック遺跡は、トルコの首都アンカラに対してどんな位置にあるか。
A　南西約50km　B　北西約100km　C　北東約10km
D　南東約100km　E　アンカラ市内

⑤カマン・カレホユック遺跡の基底部の長径はどれくらいか。
A　約150m　B　約180m　C　約230m
D　約280m　E　約360m

⑥この文章のタイトルとして、適切なものはどれか。
A　銑鉄と鋼　B　銑鉄に含まれる不純物
C　世界最古の鋼　D　ヒッタイト帝国時代の鋼
E　カマン・カレホユック遺跡

解答・解説

3　①B　②A　③C　④D　⑤D　⑥C

[解説]⑥どの選択肢についての内容も書かれているが、全体を通してのテーマはカマン・カレホユック遺跡から出土した鉄片、すなわち世界最古の鋼である。

適性問題
14

抹消・打点

ポイント

- ランダムに並んだ文字の中から、指定された文字を消すのが抹消、枠内に点を打っていくのが打点です
- どちらも、スピードと正確さ、注意力が大切になります

例題 1 次のひらがなのうち、あ・し・め・るを斜線で消しなさい。

ほ	る	ふ	あ	す	ま	ち	ぬ	ろ	く	お	し	な	ほ
こ	り	と	ん	む	ふ	る	か	も	れ	す	お	り	の
せ	ま	ろ	た	る	こ	は	の	い	ね	ろ	た	め	か
ね	く	れ	け	そ	ま	つ	あ	ふ	を	わ	に	そ	み
こ	ん	て	あ	れ	に	は	も	け	る	も	ん	う	ろ
か	さ	へ	を	て	そ	あ	の	こ	り	わ	れ	か	ん
す	れ	ま	し	う	に	も	く	る	お	み	り	え	ろ
あ	り	し	き	し	は	と	な	や	ま	す	ほ	く	て
い	は	つ	え	め	ほ	た	ん	せ	ゆ	み	こ	か	の
る	お	ね	り	む	ろ	か	ひ	と	し	め	ろ	ん	と
き	も	い	ね	す	を	い	ね	る	う	ふ	ま	み	し
わ	れ	の	も	ゆ	し	ろ	た	ま	ほ	る	こ	ふ	ま

消し方のテクニック

消す文字をしっかり記憶し、集中して取り組むことが大切。だんだん注意力・集中力が落ちてくるが、記憶を確認しつつ、スピーディーに処理しよう。似た形の文字に注意。（例題 1 の消す文字は23個）

例題２ 次の枠内に、点を３つずつ打ちなさい。枠内ならどこでもかまわないが、はみ出してはならない。

打ち方のテクニック

手先の運動能力と正確さ、根気強さをみる。速さが大切である。下図では、左の２つはＯＫ。３つめは「点」ではない。４つめは打点が２個、５つめは打点が４個。右の２つは打点が枠と重なったり、はみ出したりしているので、減点の対象となる。

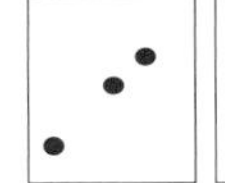

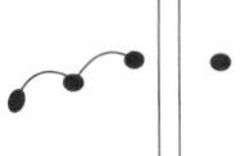
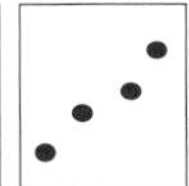
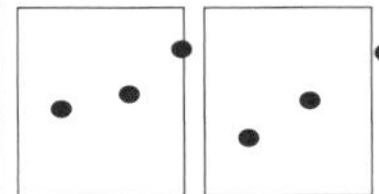

練習問題

抹消・打点

1 次のカタカナのうち、ウ・タ・ホ・ユを斜線で消しなさい。

（制限時間２分）

ノ　メ　モ　ウ　サ　ト　ホ　ヘ　ル　イ　レ　ヨ　ユ　カ　ソ
オ　デ　カ　ニ　セ　レ　ソ　タ　ハ　ウ　マ　ノ　フ　ヒ　ラ
エ　ワ　レ　ナ　ホ　テ　テ　ル　ナ　ツ　テ　ネ　フ　タ　レ
イ　ケ　ツ　ル　ヘ　ユ　ア　ニ　ネ　ル　コ　ヘ　サ　カ　シ
ヒ　ウ　ト　ケ　ラ　ツ　モ　ニ　セ　ク　ホ　チ　カ　ノ　エ
ヘ　ハ　ノ　カ　ル　ラ　ホ　ク　ス　ア　サ　キ　ハ　レ　ウ
ケ　ノ　タ　カ　ヤ　ス　ハ　マ　タ　レ　ア　チ　ト　イ　ン
ヘ　ミ　ト　イ　ユ　エ　ル　レ　ナ　ケ　ロ　ホ　ル　ホ　シ
ト　イ　ナ　メ　カ　ニ　レ　ミ　ハ　ウ　ス　ヨ　カ　テ　キ
イ　ケ　ラ　メ　フ　ホ　リ　ナ　カ　ス　モ　ウ　ワ　ヨ　ヲ
タ　レ　ハ　ン　ケ　ソ　ニ　モ　ク　サ　シ　レ　ヒ　テ　タ
ヤ　キ　チ　ユ　ト　リ　ケ　ウ　ユ　ヘ　ツ　ヒ　キ　ア　ラ
ケ　ホ　セ　ハ　フ　ネ　レ　ル　ト　カ　セ　イ　ユ　ケ　メ
ケ　ロ　ツ　ミ　チ　ア　ケ　フ　サ　ク　タ　ル　メ　ソ　ナ
カ　ツ　ラ　ナ　エ　ウ　シ　ハ　ヲ　メ　テ　シ　ソ　ナ　ユ
ア　ラ　ソ　ケ　テ　ニ　カ　ユ　ツ　マ　レ　モ　キ　サ　フ
ネ　ツ　ケ　ユ　ヘ　ラ　イ　ト　フ　ホ　ム　ト　レ　コ　ケ
ア　セ　ケ　テ　シ　リ　フ　ロ　ホ　シ　イ　メ　コ　オ　ロ
ヒ　イ　メ　ク　シ　ノ　シ　ラ　テ　ヘ　タ　ナ　ト　マ　ニ
ホ　ケ　ロ　ア　ヌ　カ　タ　ハ　ケ　テ　ヤ　ナ　ツ　シ　チ
ル　ノ　サ　ヘ　ユ　コ　ン　イ　ヒ　マ　フ　ネ　タ　ケ　ヲ
イ　ナ　ウ　ケ　ヤ　ト　ユ　カ　ト　ラ　ミ　ウ　ネ　ロ　メ

（消す文字は42個）

2 次のアルファベットのうち、D・I・M・Pを斜線で消しなさい。

（制限時間２分）

I A E S U L K C V B O M R W Q
H K T I X B O N R P L G A N C
J Q E T N M S L P D H O V T A
L Y D X O B R T O K S Z E H M
G J U L A C N W O D E J U V Z
E I U T F K Q H G L I S Z N K
O H K B M S L U Q V G K A C H
R Y K S E Q C I L T T Y J D Z
B L A R W M O J F S N C V O W
D A N O P S N Q U Y I W Z J K
R Y X B S N P L M Y F K C G U
H T U D A F B E W N C K I S D
O Y K E X L A W H I K G V B R
T P N B R O F H J S A U W Z K
Q G J U R S N M Z G S P L Q S
S Q D U A G K V B Z Y S X B E
G S T U K Z C G L V M Q G H N
T R S X G I F C K A O N L D K
P Q R Z N O Y G A C H U I A V
Z E Y H D K S A B C N E T Y P
Z F H B N P A W M G Q J V B I
R J M J A T E V T D K A E W Q
E R Y O P K S B C N A Z C I N
O Q F J A L F T Y E D I N Q C
U W F H N Z M X R S J O Y Y O
H C B K A P Y W R D N J H A K

（消す文字は48個）

3 次の枠内に、点を３つずつ打ちなさい。枠内ならどこでもかまわないが、はみ出してはならない。

（制限時間１分30秒）

4 次の枠内に、カタカナの「ツ」をはみ出さないように書きなさい。ただし、各画を続けて書いてはならない。

（制限時間１分30秒）

適性問題
15

論理的思考・流れ図

ポイント

- 論理的思考は、図形の並び方の法則を見つけ出す問題です
- 流れ図は、ある作業の手順を論理的に考える問題です
- 難問はほとんどないので、冷静に取り組めばＯＫ

例題１ 図形がある法則に基づいて並んでいる。次の〔　〕の位置に入るものを、Ａ～Ｆから選びなさい。

① 

② 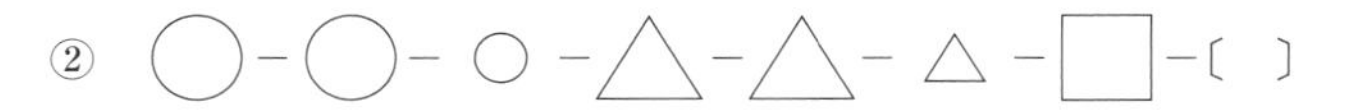

③ 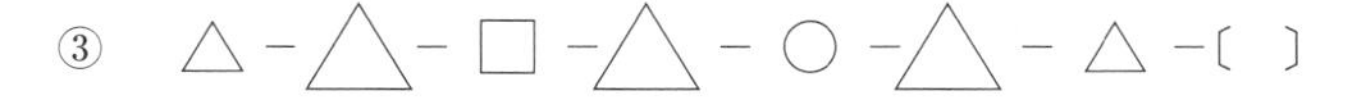

A　B　C　D　E　F

図形の形や大きさ、また上の例題にはないが、色（塗りつぶされているか否かなど）に注目して並び方の法則を見つける。①・③は２個１組、②は３個１組の単位になっていることにも気づきたい。

解答

①B　②C　③E

例題２　次の流れ図について、問いに答えなさい。

箱の中に白・黒・赤の３色のボールがたくさん入っている。これらを色別に分けて別々の箱にしまいたい。

①図の１に入るのは次のどれか。

A　黒か？　　B　大きいか？　　C　白か？
D　丸いか？　　E　赤か？

②図の２に入るのは次のどれか。

A　白の箱にしまう
B　元の箱に戻す
C　赤の箱にしまう
D　もう１個取り出す
E　黒の箱にしまう

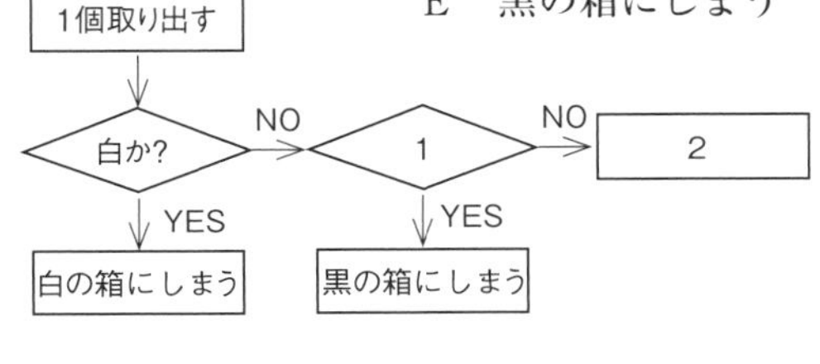

解き方のテクニック

流れ図（フローチャート）の問題では、ＪＩＳ規格の記号が用いられることが多い。は端子（始めと終わり）、はデータの入出力、は処理、は判断。作業の順を追って図を見れば正答できる。

解答

①A　②C

練習問題

論理的思考・流れ図

1 図形がある法則に基づいて並んでいる。次の〔　〕の位置に入るものを、A～Lから選びなさい。

①〔　〕

②〔　〕

③〔　〕

④〔　〕

⑤〔　〕

⑥〔　〕

⑦〔　〕

⑧〔　〕

⑨〔　〕

⑩〔　〕

A　B　C　D　E　F

G　H　I　J　K　L

2 図形がある法則に基づいて並んでいる。次の〔　〕の位置に入るものを、A～Pから選びなさい。

①　●－☆－■－○－★－□－●－☆－〔　〕

②　●－☆－●－☆－●－☆－●－☆－〔　〕

③　△－□－△－▲－●－▲－△－☆－〔　〕

④　■－△－□－▲－□－△－■－△－〔　〕

⑤　□－★－○－△－■－☆－●－▲－〔　〕

⑥　★－○－△－■－☆－○－▲－□－〔　〕

A ○　B ○　C ●　D ●　E □　F □
G ■　H ■　I △　J △　K ▲　L ▲
M ☆　N ☆　O ★　P ★

解答・解説

1 ①C　②D　③B　④E　⑤J　⑥D　⑦H　⑧G　⑨B　⑩J

[解説] ④同じ形のものが1個・2個・3個と並ぶ。⑩大きさは大－小－小、色は白－白－黒の順、形は最初が△－□－○の順、次が□－○－△の順、よって○－△の次は□になる。

2 ①H　②C　③I　④F　⑤F　⑥N

[解説] ⑤形は□－☆－○－△の順。次は大きさと色の違うものが並ぶ。
⑥形は☆－○－△－□、色は黒－白－白、大きさは小－大の順。

3 次の流れ図について、問いに答えなさい。

営業職の山田君は、商品の説明をしに斎藤さん宅を訪問することになっている。これから電話をして、訪問の日時を決めたい。

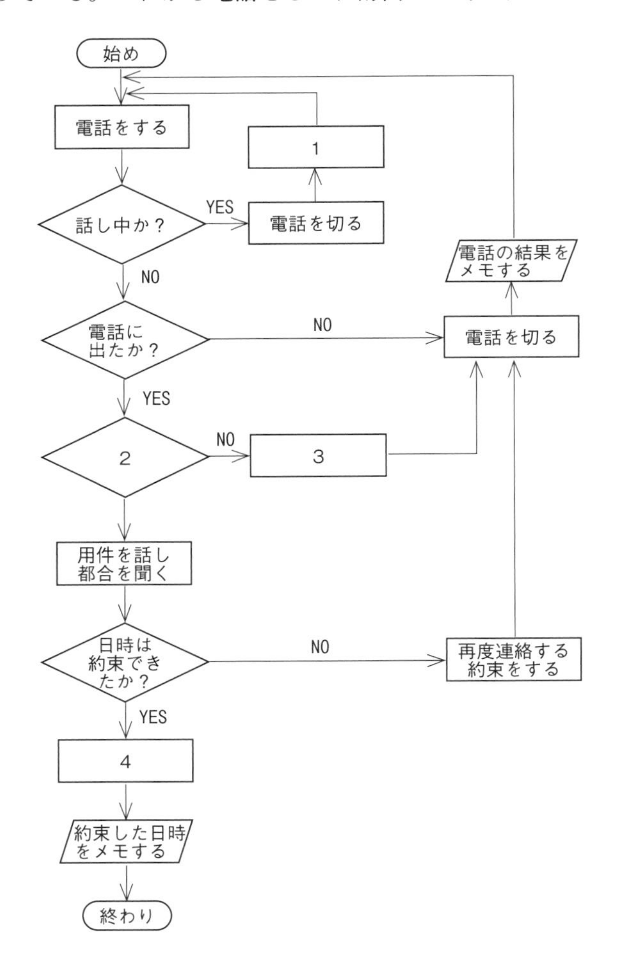

①山田君が１ですることは何か。

A　電子メールで斎藤さんの都合を聞く。
B　10分ほど待って、電話をかけ直すことにする。
C　話し中だったことを同僚に知らせる。
D　斎藤さんから電話がかかってくるまで待つ。

②２に入る条件は、次のうちのどれか。

A　きちんとあいさつしたか？　B　電話に出たのは女性か？
C　電話番号は正しかったか？　D　斎藤さん本人は在宅か？

③３に入る条件は、次のうちのどれか。

A　電話に出た人に伝言を依頼する。
B　電話に出た人と親しくなる。
C　電話に出た人に斎藤さん宅の住所を確認する。
D　電話に出た人の都合を聞く。

④山田君が４ですることは何か。

A　斎藤さん宅を訪問する。　B　商品の説明をする。
C　電話を切る。　D　電話をかけ直す。

解答・解説

3　①B　②D　③A　④C

[解説]①～④については、現実にはさまざまなことが考えられるが、選択肢を見ながら、山田君になったつもりで順を追って考える。流れ図は一見複雑そうだが、実はたった３種類の作業パターン（順次実行・分岐実行・繰り返し実行）の組み合わせで構成されている。図の矢印に沿って進んでいけば作業の進め方がわかるので、文章で説明するよりわかりやすく、慣れてさえいれば難しくない。

4 次の流れ図について、問いに答えなさい。

M市の総合病院で外来診療を受ける場合、病院へ行ってから帰宅するまでは、次のような流れになっている。

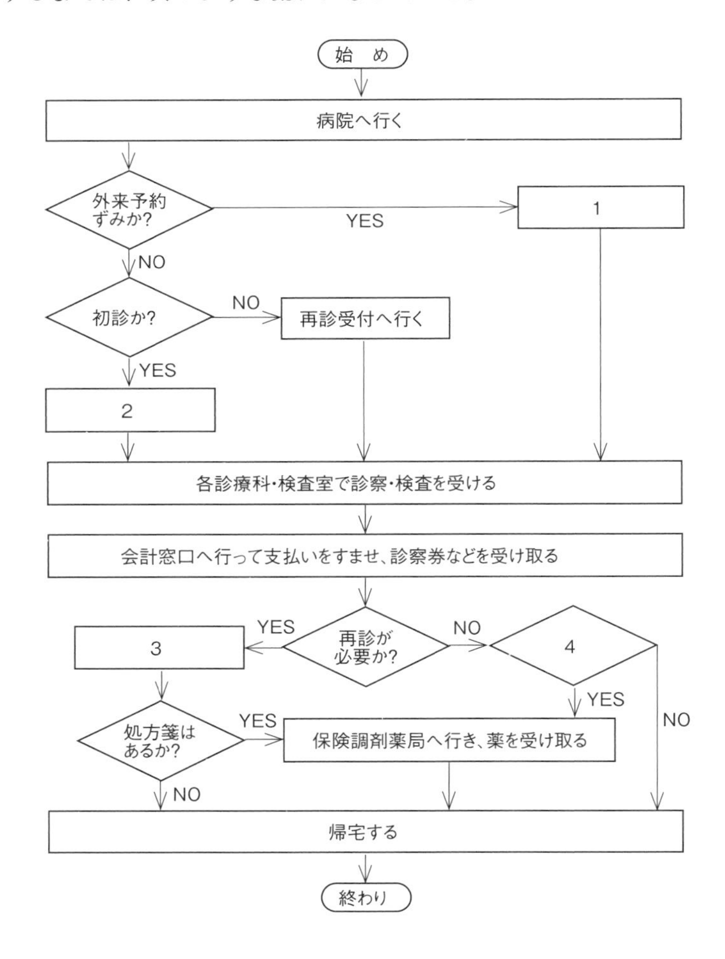

①1ですることは何か。

A　再診受付へ行き、外来予約を確認する。
B　次回の受診の予約をする。
C　受診する診療科・検査室の受付へ行く。
D　カルテを受け取る。

②2ですることは何か。

A　初診受付へ行き、受診する診療科を相談する。
B　入院受付へ行き、入院の手続きを確認する。
C　前回の検査の結果を聞く。　D　診察券と処方箋を受け取る。

③3ですることは何か。

A　保険調剤薬局へ行く。
B　再診予約窓口で、次回の外来予約をする。
C　再診受付で、カルテを見せる。
D　会計窓口へ行き、処方箋を受け取る。

④4に入る条件は、次のうちのどれか。

A　次回の外来予約はしたか？　B　薬は受け取ったか？
C　薬の支払いはすませたか？　D　処方箋はあるか？

⑤この病院へ外来予約をせずに行き、初診で診療と検査を受けた。医師から2週間後に再診を受けるように指示があった。処方箋があったので、薬を受け取って帰宅した。この場合、立ち寄らなかった場所は、次のうちのどこか。

A　保険調剤薬局　B　再診受付　C　会計窓口　D　検査室

解答・解説

4　①C　②A　③B　④D　⑤B

適性問題
16

図表判断

ポイント

●図や表に示された内容を正しく読み取る問題です
●図表に直接示されていないことを、計算したり、論理的に判断したりすることも多く、慣れが肝心です

例題 1 ある町の人口構成に関する次のグラフから、確実に読み取れることはどれか。

世代構成	20歳未満 24%	20〜30代 18%	40〜50代 32%	60歳以上 26%

男女構成	男性46%	女性54%

A　60歳以上の世代では、女性の比率がかなり高い。
B　男性のおよそ半数が20歳未満の世代である。
C　この町の人の平均年齢は約44歳である。
D　40代以上の世代が人口の過半数を占めている。

解き方のテクニック

図表判断では、図表から確実にいえることを問うタイプと、図表に関する設問に答えるタイプがあり、例題１は前者。Ａは一般常識としては正しいが、グラフから読み取れる内容ではない。

解答

D

例題２　ある県の町村の人口・面積・耕地面積をまとめた次の表を見て、問いに答えなさい。

	人口（万人）	面積（km^2）	耕地面積（km^2）
P市	57	380	86
Q町	24	730	140
R市	56	840	80
S町	29	848	112
T市	51	497	92
全県	450	6000	1800

①人口密度が、一番高いのはどこか。

A　P市　　B　Q町　　C　R市
D　S町　　E　T市

②１人当たりの耕地面積が、全県平均より広いのはどこか。

A　P市　　B　Q町　　C　R市
D　S町　　E　T市

解き方のテクニック

①この設問のように、いちいち細かく計算しなくても、見当がつけられる場合もある。②まず比較対象となる全県平均を計算する。そして１人当たりの耕地面積が広そうな町村に見当をつけてから、計算して確認する。全部計算するよりも、時間が大幅に節約できる。

解答

①A　②B

練習問題

図表判断

1 男女各100人を対象に、あるコマーシャルの好感度を調査した。結果を示す次のグラフについて、問いに答えなさい。

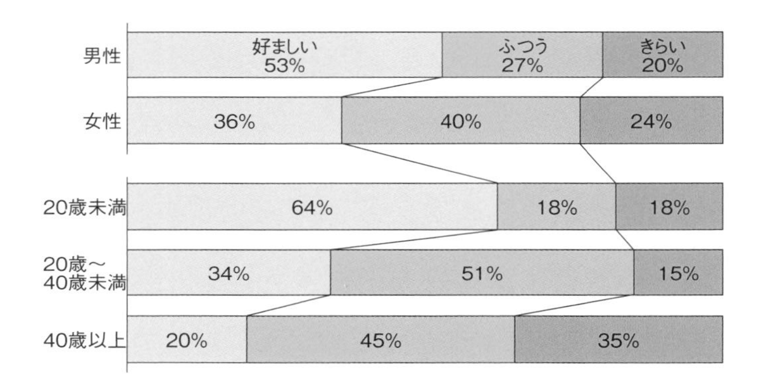

①このコマーシャルを「きらい」と答えた人は、全体の何％か。

A　22％　　B　33％　　C　44％　　D　55％

②グラフから、読み取れないことはどれか。

A　20歳未満の年齢層で「好ましい」と答えた人の数は、40歳以上の年齢層の３倍以上いる。

B　20歳未満の年齢層では、３分の２近くの人が「好ましい」と答えた。

C　20歳～40歳未満の年齢層では、「好ましい」と答えた人が「きらい」と答えた人の２倍以上いる。

D　40歳以上の年齢層では、３分の１以上の人が「きらい」と答えた。

2 ある学校の２年生100人に国語と数学について聞いた結果をまとめた。次の表について、問いに答えなさい。

		はい	いいえ
国語について	好きですか	57人	43人
	得意ですか	44人	56人
数学について	好きですか	45人	55人
	得意ですか	34人	66人

①国語が好きで、しかも得意だと答えた生徒は30人だった。国語が好きではなく、しかも得意ではないと答えた生徒は何人か。

A　26人　　B　29人　　C　33人　　D　38人

②国語も数学も得意だと答えた生徒は18人だった。国語と数学のどちらか一方だけが得意な生徒は何人か。

A　37人　　B　42人　　C　52人　　D　60人

③国語も数学も好きではないと答えた生徒は23人だった。国語も数学も好きだと答えた生徒は何人か。

A　12人　　B　16人　　C　25人　　D　29人

解答・解説

1　①A　②A

[解説] 回答者については「男女各100人」とあるが、各年齢層別の人数は示されていないことに注意。したがって②では、異なる年齢層間では、人数の比較はできない。

2　①B　②B　③C

[解説] ベン図を描いて考えるとよい。

3 次の表は、ある町の昨年度の工業生産に関する統計である。この表を見て、問いに答えなさい。

	事業所規模（従業者数による）			合計
	9人以下	10～299人	300人以上	
従業者数	19%	57%	24%	105,102人
事業所数	68%	31%	1%	3,862
出荷額	7%	52%	41%	7,835億円

①従業者数9人以下の事業所に勤務する人は、およそ何人か。

A　約200人　　B　約2,000人　　C　約1万人
D　約2万人　　E　約3万人

②規模が従業者数10～299人の事業所の数は、およそいくつか。

A　約1,000　　B　約1,200　　C　約1,400
D　約1,600　　E　約1,800

③従業者数300人以上の事業所全体の出荷額は、およそいくらか。

A　約320億円　　B　約420億円　　C　約560億円
D　約3,200億円　　E　約4,200億円

④従業者数10～299人、および300人以上の事業所に勤務する人は、合わせておよそ何人か。

A　約7万人　　B　約8万人　　C　約8万5,000人
D　約9万人　　E　約9万5,000人

⑤昨年度、この町の工業生産従業者1人当たりの出荷額は、およそどれくらいか。

A　約360万円　　B　約750万円　　C　約3,600万円
D　約7,500万円　　E　約3億6,000万円

⑥昨年度、従業者数300人以上の事業所では、１事業所当たりの平均出荷額は、およそどれぐらいか。

A　約８億円　　B　約24億円　　C　約32億円
D　約53億円　　E　約82億円

⑦従業者数300人以上の事業所では、事業所数に比べて出荷額が多い。その理由として適切と考えられるのはどれか。

A　スケールメリットを生かして、高性能の機器を導入するなど、生産性を高めているから。
B　地元出身の従業者が多く、従業者数300人未満の事業所に比べて従業者の定着率が高いから。
C　従業者数300人未満の事業所に比べて、単価の高い製品を中心に生産しているから。
D　海外への生産委託をすることによって、大幅にコストを削減しているから。
E　従業者数300人未満の事業所よりも、１人当たりの労働時間が長く、大量の製品を生産できるから。

解答・解説

3　①D　②B　③D　④C　⑤B　⑥E　⑦A

[解説] 桁数の多い数字の計算では、位取りを間違えないように注意する必要がある。また、たとえば①なら、約10万人×20％＝2万人というように、切りのよい数でおよその暗算をして、選択肢から当てはまるものを選ぶと、解答に要する時間を短縮できる。⑥従業者数300人以上の事業所数を、計算で求める必要がある。⑦は常識的な判断力をみる設問である。

4 次のグラフは、ある成人男性の体を構成する物質の質量の割合を示したものである。このグラフを見て、問いに答えなさい。

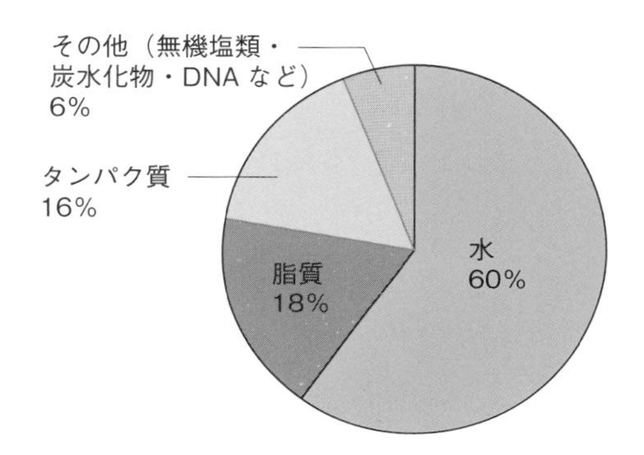

①体を構成する水の質量を100とすると、体を構成する脂質の質量はどのように表されるか。

A　18　　B　24　　C　30　　D　36

②体重60kgの男性の場合、体に含まれている水の重さは何kgになるか。

A　24kg　　B　30kg　　C　36kg　　D　約48kg

③体重60kgの男性の場合、体に含まれている脂質とタンパク質の重さの差は何kgか。

A　1.2kg　　B　1.8kg　　C　2.0kg　　D　3.4kg

解答・解説

4 ①C　②C　③A

[解説] ①脂質の割合（%）÷水の割合（%）×100で求められる。18÷60×100＝30②体重×水の割合（%）÷100で求められる。60×60÷100＝36③時間を短縮するため、60×（18－16）÷100＝1.2kgのように、脂質の割合とタンパク質の割合の差から求める。

常識問題

適性検査のなかにもたくさんの
常識問題の要素が含まれています。
ここで、ちょっと基本を復習してみましょう。

1 国語

2 数学

3 英語

4 社会

常識問題
1

国語

漢字の読み書き、四字熟語やことわざ、敬語表現などの国語常識を復習しましょう

1 漢字の読み　次の漢字の読みを書きなさい。

①為替　②駿河　③相殺　④伺う　⑤出納　⑥境内
⑦本望　⑧飛脚　⑨五月雨　⑩言語道断　⑪八百長
⑫恵比寿　⑬断食　⑭薔薇　⑮会釈

2 書き取り　次のカタカナを漢字で書きなさい。

①適当な箇所にクトウテンを打つ。
②腕時計がユクエフメイになった。
③隣のおじさんはキッスイの江戸っ子だ。
④妹はさんざん泣いたアゲク、眠ってしまった。
⑤敵をドタンバまで追い詰めた。

3 反対語　次の言葉の反対語を書きなさい。

①拡大　②便利　③多数　④権利　⑤往復　⑥玄人
⑦収入　⑧与党　⑨原因　⑩短所　⑪上昇　⑫主観
⑬勝利　⑭可決　⑮偶然

4 四字熟語　次の□に適切な数字を入れなさい。

①□石□鳥　②□朝□夕　③□転□倒　④□苦□苦
⑤□人□脚　⑥□日□秋　⑦□差□別　⑧□寒□温
⑨□期□会　⑩□臓□腑　⑪□束□文　⑫□家争鳴

5 敬語表現　次の文章のうち、誤っているのはどれか。

①あした、母が伺います。
②先生に教えていただきました。
③お父さんはおりますか？
④ご著書を拝見いたします。
⑤ご着席なさってください。

解答・解説

1 ①かわせ　②するが　③そうさい　④うかが（う）　⑤すいとう　⑥けいだい　⑦ほんもう　⑧ひきゃく　⑨さみだれ　⑩ごんごどうだん　⑪やおちょう　⑫えびす　⑬だんじき　⑭ばら　⑮えしゃく

2 ①句読点　②行方不明　③生粋　④揚(げ)句［挙(げ)句］　⑤土壇場

3 ①縮小　②不便　③少数　④義務　⑤片道　⑥素人　⑦支出　⑧野党　⑨結果　⑩長所　⑪下降（低下）　⑫客観　⑬敗北　⑭否決　⑮必然

4 ①一石二鳥　②一朝一夕　③**七**転**八**倒　④**四**苦**八**苦　⑤二人三脚　⑥一日**千**秋　⑦**千**差**万**別　⑧三寒**四**温　⑨一期一会　⑩**五**臓**六**腑　⑪二束三文　⑫**百**家争鳴

5 ③⑤

6 ことわざ　次の□に正しい漢字を入れなさい。

①弘法、□を択(えら)ばず。　②□□をたたいて渡る。　③□に入っては□に従え。　④□の上にも三年。　⑤ちりも積もれば□となる。　⑥壁に耳あり、□□に目あり。　⑦笑う門には□来たる。　⑧鬼の目にも□。　⑨□の顔も三度まで。　⑩早起きは三文の□。

7 文学史　次の文学作品の作者を書きなさい。

①たけくらべ　②源氏物語　③徒然草　④坊っちゃん　⑤枕草子　⑥土佐日記　⑦放浪記　⑧細雪　⑨羅生門　⑩斜陽　⑪夜明け前　⑫伊豆の踊子　⑬みだれ髪

8 故事成語　次の言葉の意味をA・Bから選びなさい。

①蛇足　[A　ないほうがいい余計なもの　B　あると便利なもの]
②太公望　[A　大きな望み　B　釣りの好きな人]
③他山の石　[A　欲しいのに手に入らないもの　B　つまらないものだけれど自分を磨くのに役立つもの]
④過ぎたるはなお及ばざるがごとし　[A　やり過ぎは足りないのと同じである　B　過去のことはやり直しができない]
⑤五十歩百歩　[A　大きな違い　B　似たりよったり]

9 難読字　次の漢字の読みを書きなさい。

①山茶花　②土筆　③秋刀魚　④百足　⑤向日葵　⑥十六夜　⑦無花果　⑧蕎麦　⑨小豆　⑩海月　⑪土竜　⑫心太　⑬二十歳　⑭山葵　⑮女形

10 同音異義語　次のカタカナを漢字で書きなさい。

①課長の結論にイギを唱える。
②それはとてもイギがある活動だ。
③イギを正して演壇に登る。
④国語ジテンでことわざを調べる。
⑤百科ジテンで中国について調べる。
⑥幸福をツイキュウする。
⑦課長の責任をツイキュウする。
⑧真理をツイキュウする。
⑨イッパツ逆転を狙う。
⑩危機イッパツのところで助かった。

解答・解説

6 ①筆　②石橋　③郷・卿　④石　⑤山　⑥障子　⑦福　⑧涙　⑨仏
⑩徳（得）

7 ①樋口一葉　②紫式部　③兼好法師（吉田兼好）　④夏目漱石
⑤清少納言　⑥紀貫之　⑦林芙美子　⑧谷崎潤一郎　⑨芥川龍之介
⑩太宰治　⑪島崎藤村　⑫川端康成　⑬与謝野晶子

8 ①A　②B　③B　④A　⑤B

9 ①さざんか　②つくし　③さんま　④むかで　⑤ひまわり
⑥いざよい　⑦いちじく　⑧そば　⑨あずき　⑩くらげ　⑪もぐら
⑫ところてん　⑬はたち　⑭わさび　⑮おやま（おんながた）

10 ①異議　②意義　③威儀　④辞典　⑤事典　⑥追求　⑦追及
⑧追究　⑨一発　⑩一髪
[解説]⑩は髪の毛ひとすじほどのごくわずかな隙間のこと。「間一髪」

11 俳句　次の俳句の作者をA～Eから選びなさい。

①古池や蛙（かわず）飛びこむ水の音
②朝顔に釣瓶（つるべ）とられてもらい水
③我と来て遊べや親のない雀
④なの花や月は東に日は西に
⑤降る雪や明治は遠くなりにけり
A　小林一茶　B　松尾芭蕉　C　与謝蕪村
D　中村草田男　E　加賀千代女

12 和歌　次の和歌の作者をA～Eから選びなさい。

①花の色は移りにけりないたづらにわが身世にふるながめせしまに
②田子の浦ゆうち出でてみれば真白にぞ富士の高嶺に雪は降りける
③春過ぎて夏来たるらし白たえの衣干したり天の香具山
④銀（しろがね）も金（くがね）も玉も何せむにまされる宝子にしかめやも
⑤おおうみの磯もとどろに寄する波われて砕けて裂けて散るかも
A　山部赤人　B　持統天皇　C　山上憶良　D　源実朝
E　小野小町

13 ことわざ　次の□に生き物の名前を入れなさい。

①□も木から落ちる
②□の耳に念仏
③能ある□は爪を隠す
④飛んで火に入る夏の□
⑤□のひと声

ワンポイントレッスン

故事成語に強くなろう

中国の故事から生まれた成語は人生訓や処世訓として引用されることが多いので、正しい意味を覚えておくことが必要。

[画竜点睛（がりょうてんせい）]

画家が竜を描いて最後に睛(瞳)を描き入れたら、竜に命が吹き込まれて天に昇っていったことから、最後の仕上げをすることをいう。

[むしろ鶏口となるも、牛後となるなかれ]

戦国時代に蘇秦(そしん)が強国の秦の下につくより小国でもその頭であれ、と言ったことから、大きな集団の尻につくより小さな集団のトップになれの意。

[人間万事塞翁（さいおう）が馬]

塞翁の馬が逃げてしまったが、名馬を連れて戻った。息子がその名馬から落ちて足を折ったが、そのおかげで戦争に行かずにすんだ。禍いが福をもたらし、福が禍いとなるように、人生の幸不幸は定まりないことをいう。

[四面楚歌]

漢と楚が天下を争っていた時、漢の張良が部下に楚の歌を歌わせた。あちこちから聞こえてくる歌を聞いた楚の項羽は、楚の人が既に降伏して漢軍に加わったと思い込んで悲嘆した。このことから、周りが敵ばかりで孤立無援の状態をいう。

解答・解説

11 ①B　②E　③A　④C　⑤D

12 ①E　②A　③B　④C　⑤D

13 ①猿　②馬　③鷹　④虫　⑤鶴

[解説]①と同じ意味のことわざに「河童の川流れ」「弘法も筆の誤り」、②と同じ意味のことわざに「猫に小判」がある。

14 同義語

次の組み合わせで同義語でないものを選びなさい。

①たそがれ－夕暮れ　②左利き－酒好き　③先陣－一番乗り
④役不足－力不足　⑤傾国－美人　⑥徒労－無駄骨
⑦素封家－領主　⑧権威－泰斗　⑨三十一文字－短歌
⑩如月－二月

15 慣用句

次の中で誤った使い方をしているものを選びなさい。

①あの人は気のおけない人だから一緒にいると疲れる。
②今では押しも押されぬ一流のデザイナーだ。
③花嫁衣装を身にまとう。
④嵐も峠を越えた。
⑤木に竹をつぐような不自然な対応にとまどう。

16 文法

次の中で品詞が誤っているものを選びなさい。

①すでに（副詞）　②まで（副助詞）　③いわゆる（形容詞）
④らしい（助動詞）　⑤情けない（動詞）　⑥さて（接続詞）

17 ことわざ

□に入る語をA～Cから選びなさい。

①門前の小僧、習わぬ□を読む。［A　本　B　文　C　経］
②濡れ手で□。［A　泡　B　粟　C　水］
③聞いて□□、見て地獄。［A　極楽　B　天国　C　地獄］
④出る□は打たれる。［A　釘　B　杭　C　人］
⑤袖振りあうも□□の縁。［A　他生　B　多少　C　他人］

18 文学史 次の文章の作品名をA～Eから選びなさい。

①春はあけぼの、やうやうしろくなりゆく山ぎは……。
②ゆく河の流れは絶えずして、しかも、もとの水にあらず。
③いづれの御時にか、女御、更衣、あまたさぶらひ給ひける中に…。
④祇園精舎の鐘の声、諸行無常の響あり。
⑤月日は百代の過客にして、行きかふ年も又旅人也。

A 源氏物語 B 奥の細道 C 平家物語 D 枕草子 E 方丈記

19 漢詩 次の漢詩の□に適切な語を入れなさい。

①国破れて□□在り／城春にして草木深し
②少年老いやすく□成りがたし／一寸の光陰軽んずべからず
③白髪□千丈／愁(うれ)いによりてかくのごとく長し
④春眠□を覚えず／処処啼鳥(しょしょていちょう)を聞く

解答・解説

14 ④⑦ **15** ①②④

[解説]①「気のおけない人」は気を使う必要がない親しい人。②正しくは「押しも押されもしない」。④「峠を越した」が正しい。

16 ③⑤ **[解説]**③は連体詞、⑤は形容詞。

17 ①C ②B ③A ④B ⑤A **18** ①D ②E ③A ④C ⑤B

19 ①山河 ②学 ③三 ④暁(あかつき)

[解説]①杜甫(とほ)の「春望(しゅんぼう)」、②朱熹(しゅき)の「偶成(ぐうせい)」、③李白(りはく)の「秋浦(しゅうほ)の歌」、④孟浩然(もうこうねん)の「春暁(しゅんぎょう)」。

常識問題
2

数学

計算の規則などを再確認しましょう。ここで基礎の復習を

1 計算 次の計算をしなさい。

① $\frac{1}{4}-\frac{1}{3}$

② $5-2\times4$

③ $(-3)\div6\times(-2)^2$

④ $\sqrt{18}-\sqrt{2}$

⑤ $(\sqrt{2}+\sqrt{3})^2$

⑥ $\frac{\sqrt{3}-\sqrt{2}}{\sqrt{3}+\sqrt{2}}+\frac{\sqrt{3}+\sqrt{2}}{\sqrt{3}-\sqrt{2}}$

2 計算 次の計算をしなさい。

① $-a(a+2b)$

② $(18xy+3x)\div3x$

③ $-3(x^2+2x)-(x^2-5x)$

④ $(12x^2-6x)\div\frac{1}{2}x$

⑤ $12(\frac{x-2}{4}+\frac{2x-3}{6})$

⑥ $\frac{x+y}{3}-\frac{x-y}{4}$

⑦ $a^2\div a^3\times a^5$

⑧ $2a^2\times3a^3$

⑨ $4ab^3\div\frac{1}{2}ab$

⑩ $(-4x^3)^2$

⑪ $18ab\div(-3a)\times(-6b)$

⑫ $48x^2y^3\div(-4xy)^2\div(-3y)$

3 計算　次の式を展開し、簡単にしなさい。

①$(x+3)^2$　②$(x-3)(x+4)$

③$(x-2)^2-(x+1)(x-1)$　④$(a+b)(a^2-ab+b^2)$

⑤$(a+2b+3c)^2$　⑥$(x+2)^3$

4 因数分解　次の式を因数分解しなさい。

①$2a-6ax$　②$x^2-12x+36$　③x^2-36

④$x^2+8x+15$　⑤x^2y-y　⑥$(x+y)^2-(x+y)-6$

解答・解説

1 ①$-\frac{1}{12}$　②-3　③-2　④与式$=3\sqrt{2}-\sqrt{2}=\underline{2\sqrt{2}}$

⑤与式$=(\sqrt{2})^2+2\times\sqrt{2}\times\sqrt{3}+(\sqrt{3})^2=\underline{5+2\sqrt{6}}$

⑥与式$=\frac{(\sqrt{3}-\sqrt{2})^2}{(\sqrt{3}+\sqrt{2})(\sqrt{3}-\sqrt{2})}+\frac{(\sqrt{3}+\sqrt{2})^2}{(\sqrt{3}-\sqrt{2})(\sqrt{3}+\sqrt{2})}=\frac{5-2\sqrt{6}}{1}+\frac{5+2\sqrt{6}}{1}=\underline{10}$

2 ①$-a^2-2ab$　②与式$=\frac{18xy}{3x}+\frac{3x}{3x}=\underline{6y+1}$　③$-4x^2-x$

④与式$=(12x^2-6x)\times\frac{2}{x}=\underline{24x-12}$　⑤与式$=3(x-2)+2(2x-3)=\underline{7x-12}$

⑥与式$=\frac{4(x+y)-3(x-y)}{12}=\underline{\frac{x+7y}{12}}$　⑦a^4　⑧$6a^5$　⑨$8b^2$

⑩$16x^6$　⑪与式$=18ab\times(-\frac{1}{3a})\times(-6b)=\underline{36b^2}$　⑫-1

3 ①x^2+6x+9　②x^2+x-12　③$-4x+5$　④a^3+b^3

⑤$a^2+4b^2+9c^2+4ab+12bc+6ca$　⑥$x^3+6x^2+12x+8$

4 ①$2a(1-3x)$　②$(x-6)^2$　③$(x+6)(x-6)$

④$(x+3)(x+5)$　⑤与式$=y(x^2-1)=\underline{y(x-1)(x+1)}$

⑥与式$=M^2-M-6=(M-3)(M+2)=\underline{(x+y-3)(x+y+2)}$

5 方程式・不等式 次の方程式・不等式を解きなさい。

①$-2x-13=-5x+11$

②$-(3x-5)-(x-12)=1$

③$\frac{x+5}{6}-\frac{x-3}{8}=1$

④$\begin{cases}2x+3y=4\\3x+2y=1\end{cases}$

⑤$x^2+5x+4=0$

⑥$3x^2-5x+1=0$

⑦$2(x-2)-3(x-1)<0$

⑧$\begin{cases}4x-1>x+2\\x+5>3x-1\end{cases}$

6 方程式・不等式 次の問いに答えなさい。

① 1個80円の菓子Aと、1個120円の菓子Bを、合わせて12個買って、代金合計が1,120円になるようにしたい。菓子Aの個数を求めよ。

②現在の父親の年齢は、子どもの年齢の7倍より3歳若く、今から5年後には、父親の年齢が子どもの年齢の4倍になる。現在の子どもの年齢を求めよ。

③ 1個160円のりんごと、1個200円の梨を、合わせて10個買い、代金合計が1,900円以下になるようにしたい。梨は最大で何個買えるか。

7 整数 次の問いに答えなさい。

①$\frac{n}{6}$、$\frac{n}{28}$がともに整数となるような自然数nのうちで、最も小さいnを求めよ。

②100以下の自然数のうち、3の倍数であって、4の倍数ではない数は全部でいくつあるか。

③縦105 cm、横165 cmの長方形の紙が1枚ある。縦、横をそれぞれ等分して、できるだけ大きな、同じ大きさの正方形に分けるとき、何枚の正方形ができるか。

解答・解説

5 ① $x=8$ ② $x=4$ ③ $4(x+5)-3(x-3)=24$ と変形し、$x=-5$

④ $x=-1,\ y=2$

⑤ $(x+1)(x+4)=0$ と変形し、$x=-1, -4$

⑥解の公式を使う。$x=\dfrac{5\pm\sqrt{13}}{6}$ ⑦ $x>-1$

⑧ $\begin{cases} 4x-1>x+2 \cdots\cdots(1) \\ x+5>3x-1 \cdots\cdots(2) \end{cases}$ (1)より $1<x$、(2)より $x<3$、これらより $1<x<3$

6 ①菓子Aの個数を x 個とし、$80x+120(12-x)=1120$ より、$x=8$(個)

②現在の子どもの年齢を x 歳とし、$7x-3+5=4(x+5)$ より、$x=6$(歳)

③梨を x 個買うものとすると、$200x+160(10-x)\leqq 1900$ の式ができる。これを解くと $x\leqq 7.5$、これを満たす最大の整数 x は $x=7$(個)

7 ① n は6と28の最小公倍数の84

②3の倍数は、$100\div 3=33.\sim$ より、33個ある。3の倍数のうち4で割りきれる数は、12の倍数なので、$100\div 12=8.\sim$ より、8個。よって、求める数は $33-8=25$(個)

③105と165の最大公約数は15なので、縦には $105\div 15=7$(枚)、横には $165\div 15=11$(枚)並ぶので、合計枚数は $7\times 11=77$(枚)となる。

8 関数　次の問いに答えなさい。

①yがxに比例する関数で、$x=9$のとき、$y=6$になるとき、$y=12$になるときのxの値を求めよ。

②yがxに反比例する関数で、$x=8$のとき、$y=3$になるとき、$x=4$のときのyの値を求めよ。

③$x=2$のとき$y=3$、$x=5$のとき$y=9$となる一次関数の式を求めよ。

④関数$y=x^2$において、$-3 \leqq x \leqq 1$におけるyの変域を求めよ。

⑤yがx^2に比例する関数で、$x=3$のとき、$y=18$になるとき、$x=4$のときのyの値を求めよ。

⑥二次関数$y=x^2+4x+5$の最小値を求めよ。

9 確率　次の問いに答えなさい。

①1、2、3、4の4つの数字を並び替えてできる4けたの数字は何種類あるか。

②6人の班で、班長と副班長を1人ずつ決める方法は何通りあるか。

③10組のサッカーチームがリーグ戦で1回ずつ戦うとき、全部で何試合必要か。

④15組の野球チームがトーナメント戦で優勝を争うとき、全部で何試合が行われるか。

⑤ 3枚のコインを同時に投げるとき、3枚とも表が出る確率を求めよ。

⑥異なる大きさのサイコロを2個同時に振るとき、目の和が10になる確率を求めよ。

⑦袋の中に赤球5個と白球3個が入っている。この中から2個の球を同時に取り出すとき、2個とも白球である確率を求めよ。

解答・解説

8 ① $y=\frac{2}{3}x$ に $y=12$ を代入すると $x=18$ ② $y=\frac{24}{x}$ に $x=4$ を代入すると $y=6$ ③ $y=ax+b$ に $(x, y)=(2, 3)$、$(5, 9)$ を代入、$3=2a+b$、$9=5a+b$ より $(a, b)=(2, -1)$、よって求める式は $y=2x-1$ ④ $x=-3$ のとき、$y=9$、$x=1$ のとき、$y=1$ となるが、$x=0$ のとき、グラフは頂点を作るので、このとき最小値 $y=0$ となる。よって y の変域は $0 \leqq y \leqq 9$ ⑤ $y=ax^2$ に $(x, y)=(3, 18)$ を代入すると $a=2$ が得られるので、$y=2x^2$ に $x=4$ を代入し、$y=32$ ⑥ $y=x^2+4x+5$ は $y=(x+2)^2+1$ と変形できる。よって $x=-2$ のとき、最小値1をとる。

9 ①これは順列の計算になる。4つのものを並べる順列は $4 \times 3 \times 2 \times 1=24$(通り) ② 6つの中から2つを並べる順列で、$6 \times 5=30$(通り) ③ 10の中から2つを選ぶ組合せである。$\frac{10 \times 9}{2 \times 1}=45$(試合) ④ 1試合ごとに1つのチームが負けるので、優勝チームが決まるには、14のチームが負けることになり、試合は14試合。⑤コインの出方は全部で $2 \times 2 \times 2=8$(通り)、3枚とも表が出るのは1通り。よって求める確率は $\frac{1}{8}$ ⑥サイコロの出方は全部で $6 \times 6=36$(通り)、目の和が10になるのは(4, 6)、(5, 5)、(6, 4)の3通り。よって求める確率は $\frac{3}{36}=\frac{1}{12}$ ⑦ 8個の中から2つを選ぶ方法は $\frac{8 \times 7}{2 \times 1}=28$(通り)、白球3個の中から2つを選ぶ方法は $\frac{3 \times 2}{2 \times 1}=3$(通り)。よって求める確率は $\frac{3}{28}$ となる。

10 図形　次の問いに答えなさい。(円周率は π とする)

①△ABCの外角∠ABDの大きさを求めよ。

②五角形ABCDEの∠Dの大きさを求めよ。

③$l//m$ のとき、∠ABCの大きさを求めよ。

④円Oにおいて、∠APBの大きさを求めよ。

⑤円錐の体積を求めよ。

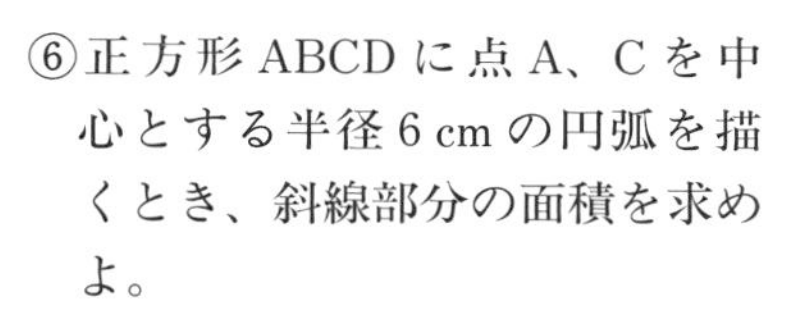

⑥正方形ABCDに点A、Cを中心とする半径6 cmの円弧を描くとき、斜線部分の面積を求めよ。

⑦DE//BCのとき、AEの長さを求めよ。

⑧BCの長さを求めよ。

①

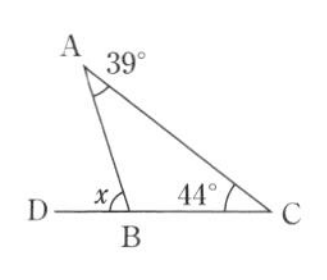

②

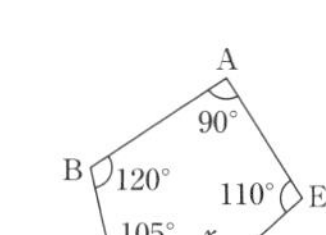

③

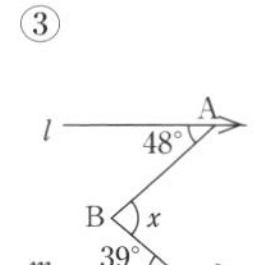

④

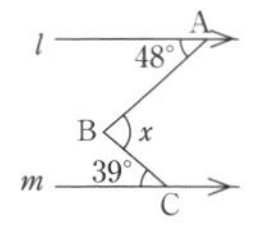

⑤

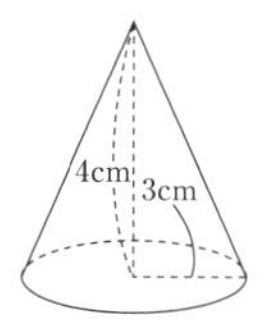

⑥

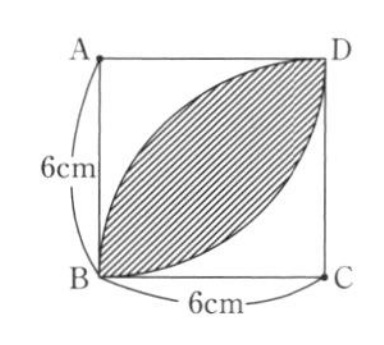

⑦

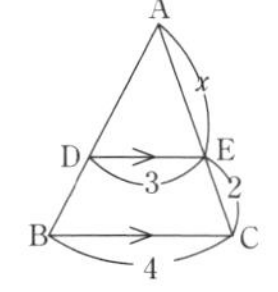

⑧

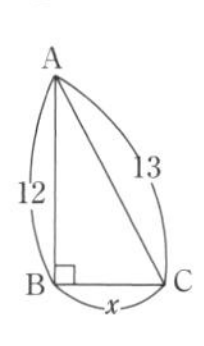

11 三角比 次の問いに答えなさい。

①$\cos 60^\circ$の値を求めよ。

②$\tan 45^\circ$の値を求めよ。

③$\angle C=90^\circ$の△ABCにおいて、$\cos A=\frac{1}{3}$のとき、$\sin A$の値を求めよ。

解答・解説

10 ①$\angle ABD=\angle A+\angle C=\underline{83^\circ}$

② $180^\circ\times3-(110^\circ+90^\circ+120^\circ+105^\circ)=\underline{115^\circ}$

③ Bを通りlに平行な補助線を引くと、$\angle B=48^\circ+39^\circ=\underline{87^\circ}$

④円周角は中心角の$\frac{1}{2}$なので、$\angle APB=\frac{1}{2}\angle AOB=\underline{51^\circ}$

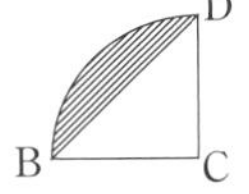

⑤ $\frac{1}{3}\times\pi\times3^2\times4=\underline{12\pi(\mathrm{cm}^3)}$

⑥右図の斜線部分の面積は扇形BCD－△BCDで得られる。これを2倍すればよい。$2(\pi\times6^2\times\frac{90}{360}-\frac{1}{2}\times6\times6)=\underline{18\pi-36(\mathrm{cm}^2)}$

⑦ AE：AC＝DE：BCより、$x:(x+2)=3:4$、内項と外項の積は等しいので、$3(x+2)=4x$、これを解き、$\underline{x=6}$

⑧ $AB^2+BC^2=AC^2$より、$12^2+x^2=13^2$これを解き、$x>0$より$\underline{x=5}$

11 ①右図で$\cos 60^\circ=\frac{BC}{AC}=\underline{\frac{1}{2}}$

②右図で$\tan 45^\circ=\frac{AC}{BC}=\underline{1}$

③三平方の定理で$BC=2\sqrt{2}$を求め、

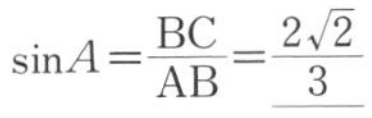

$\sin A=\frac{BC}{AB}=\underline{\frac{2\sqrt{2}}{3}}$

①

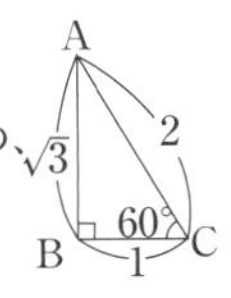

②

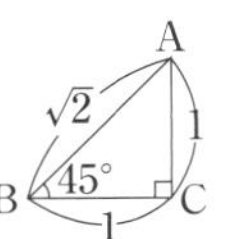

③

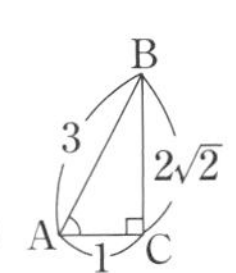

常識問題
3

英語

**単語や慣用句、ことわざ、文法などの総復習をしてみましょう
とくに、時制に注意が必要です**

1 英単語 次の日本語の意味を表す単語を下から選びなさい。

①公務員 ②銀行家 ③学者 ④教授 ⑤警官
⑥会計士 ⑦弁護士 ⑧司書 ⑨修理士 ⑩消防士
⑪作家 ⑫編集者 ⑬建築家 ⑭歯医者 ⑮大工

A librarian B banker C mechanic D architect
E lawyer F author G editor H policeman
I dentist J carpenter K accountant L scholar
M fire fighter N professor O civil servant

2 外来語 次の外来語の英語のスペルを書きなさい。

①ジャズ ②スープ ③デジタル ④アナログ ⑤ハネムーン
⑥オーブン ⑦アルバム ⑧プロポーズ ⑨エゴイスト ⑩ビール
⑪アルコール ⑫サラダ ⑬ボリューム ⑭マガジン ⑮ヨット

3 国名 次の国名を日本語に訳しなさい。

①Hong Kong ②United Kingdom ③Russia ④India
⑤Thailand ⑥South Korea ⑦Switzerland ⑧Indonesia

4 対義語 次の単語の対義語を下から選びなさい。

①construction ②receive ③heavy ④rough ⑤ascend
⑥gain ⑦urban ⑧deep ⑨lend ⑩wide ⑪major ⑫total
⑬natural ⑭clever ⑮defendant

A borrow B minor C shallow D light
E stupid F partial G smooth H plaintiff
I artificial J descend K narrow L rural
M refuse N destruction O lose

解答・解説

1 ①O ②B ③L ④N ⑤H ⑥K ⑦E ⑧A ⑨C ⑩M
⑪F ⑫G ⑬D ⑭I ⑮J

[解説] いろいろな職業について、英語で表現できるようにしよう。

2 ①jazz ②soup ③digital ④analogue ⑤honeymoon
⑥oven ⑦album ⑧propose ⑨egoist ⑩beer ⑪alcohol
⑫salad ⑬volume ⑭magazine ⑮yacht

3 ①香港 ②イギリス ③ロシア ④インド ⑤タイ ⑥韓国
⑦スイス ⑧インドネシア

[解説] 主要各国の、一般的な英語表現を覚えておこう。

4 ①N ②M ③D ④G ⑤J ⑥O ⑦L ⑧C ⑨A ⑩K
⑪B ⑫F ⑬I ⑭E ⑮H

[解説] ①建設 破壊 ②受け入れる 断る ③重い 軽い ④ざらざらした すべすべした ⑤上がる 下がる ⑥得る 失う ⑦都会の 田舎の ⑧深い 浅い ⑨貸す 借りる ⑩広い 狭い ⑪多数の 少数の ⑫全部の 一部の ⑬自然の 人工の ⑭賢い 愚かな ⑮被告 原告

5 単語の書き換え

次の語を（　　）内の指示に従って書き換えなさい。

①four（序数に）　②good（比較級に）　③child（複数に）
④foot（複数に）　⑤it（所有格に）　⑥pollute（名詞に）
⑦stop（過去形に）　⑧dead（名詞に）　⑨information（動詞に）
⑩rain（形容詞に）　⑪host（女性形に）　⑫baby（複数に）
⑬actor（女性形に）　⑭bad（最上級に）　⑮buy（過去形に）

6 アクセント

次の語群の中で、下線部分にアクセントがあるものを５つ選びなさい。

①leisure　②antenna　③orchestra　④journalist
⑤humor　⑥dynamic　⑦schedule　⑧vocabulary
⑨television　⑩authority　⑪cigarette　⑫engineer
⑬ideology　⑭beefsteak　⑮career

7 発音

次の語群の中に下線部の発音が異なる語が１つずつある。その記号を答えなさい。

	A	B	C	D
①	goes	watches	teaches	studies
②	knows	helps	likes	works
③	lived	stopped	cleaned	arrived
④	dogs	pens	boys	ships
⑤	boxes	dishes	classes	tomatoes
⑥	thousand	though	through	throw
⑦	chain	challenge	champion	character
⑧	teacher	ear	three	cheap
⑨	able	again	almost	age
⑩	OK	old	only	once

8 看板

次の掲示用語の意味として正しいものを右から選びなさい。

①Emergency exit	A 手をふれるべからず
②Not for sale	B 左折禁止
③Hands off	C 追い越し禁止
④Out of order	D 手洗所
⑤No left turn	E 土足厳禁
⑥Rest room	F 足元に注意
⑦No passing	G 非売品
⑧Shoes off	H 故障(中)
⑨Watch your step	I 通行止め
⑩Closed to traffic	J 非常口

解答・解説

5 ①fourth ②better ③children ④feet ⑤its ⑥pollution ⑦stopped ⑧death ⑨inform ⑩rainy ⑪hostess ⑫babies ⑬actress ⑭worst ⑮bought

6 ① ③ ⑤ ⑫ ⑬

7 ①A ②A ③B ④D ⑤D ⑥B ⑦D ⑧B ⑨C ⑩D

[解説] ①Aは〔z〕、他は〔is〕 ②Aは〔z〕、他は〔s〕
③Bは〔t〕、他は〔d〕 ④Dは〔s〕、他は〔z〕
⑤Dは〔z〕、他は〔iz〕 ⑥Bは〔ð〕、他は〔θ〕
⑦Dは〔k〕、他は〔tʃ〕 ⑧Bは〔i〕、他は〔iː〕
⑨Cは〔ɔː〕、他は〔ei〕 ⑩Dは〔wʌ〕、他は〔ou〕

8 ①J ②G ③A ④H ⑤B ⑥D ⑦C ⑧E ⑨F ⑩I

9 ことわざ　次の英語のことわざと同じような日本語のことわざを下から選びなさい。

①Do in Rome as the Romans do.
②Many a little makes a mickle.
③Birds of a feather flock together.
④It is no use crying over spilt milk.
⑤Strike while the iron is hot.

A　ちりもつもれば山となる
B　郷に入っては郷に従え
C　善は急げ
D　覆水盆に返らず
E　類は友を呼ぶ

10 英作文　次の日本文の意味を表す英文をつくるために、語群を正しく並べ替えなさい。

①彼はその事故が起こった場所へ行った。（２回使う語あり）

A he　B place　C happened　D where
E the　F accident　G went　H to

②私は彼が通りを走っているのを見た。

A I　B along　C saw　D him　E street
F the　G running

③彼女は私たちに、トムと一緒にそこへ行くと言った。（２回使う語あり）

A with　B she　C would　D there
E that　F Tom　G go　H told　I us

④あなたはメアリーがどのくらいの期間、ここにいるか知っていますか。

A do　B how　C here　D you　E Mary
F long　G know　H will　I stay

⑤彼のおじさんは、彼らと一緒に来ますよね。

A his　B come　C them　D won't
E with　F uncle　G he　H will

⑥私はお母さんが芸術家の男の子を知っている。

{ A a　B boy　C mother　D whose　E is
F I　G know　H artist　I an

⑦私が先週の日曜日に観た映画は、とてもこっけいだった。

{ A last　B the　C I　D was　E funny
F sunday　G very　H movie　I saw

⑧その医者はとても早く話したので、私は彼の言うことが理解できなかった。

{ A the　B spoke　C I　D couldn't　E him
F doctor　G fast　H so　I that　J understand

⑨姉が外出しているあいだ、彼女に電話があった。（２回使う語あり）

{ A sister　B my　C out　D there　E a
F while　G was　H for　I call　J her

⑩あなたは興味深い読み物を持っていますか。

{ A do　B to　C have　D anything
E read　F you　G interesting

解答・解説

9 ①B　②A　③E　④D　⑤C

[解説]mickle（多量）　flock（群がる）

10 ①AGHEBDEFC　②ACDGBFE　③BHIEBCGDAF
④ADGBFEHIC　⑤AFHBECDG　⑥FGABDCEIH
⑦BHCIAFDGE　⑧AFBHGICDJE　⑨FBAGCDGEIHJ
⑩AFCDGBE

[解説]①関係代名詞where　②知覚動詞see　③間接話法　④間接疑問文　⑤付加疑問文　⑥関係代名詞whose　⑦関係代名詞whichの省略　⑧so……that ～で、とても……なので～　⑨接続詞while　⑩不定詞to、以上に注意して解く。

11 書き換え 次の各組の文がほぼ同じような意味になるように、（　　）内に適切な単語を書きなさい。

① Tom said to her, "Are you busy?"
Tom asked her (　　) she was busy.

② (　　) she was tired, she didn't take a rest.
She was tired, but she didn't take a rest.

③ When I get there, I'll call you.
As (　　) as I get there, I'll call you.

④ He continued to dance.
He continued (　　).

⑤ My father is (　　) busy to play with me.
My father is so busy that he can't play with me.

⑥ Swim as fast as possible.
Swim as fast as you (　　).

⑦ (　　) him, our team would have lost the game.
But for you, our team would have lost the game.

⑧ I'm sorry I wasn't able to attend the party last week.
I (　　) I had been able to attend the party last week.

⑨ I wish I (　　) go to the shop with you.
I cannot go to the shop with you.

⑩ Without his help, I would have failed.
If it (　　) not been for his help, I would have failed.

12 会話 次の（　　）内に適切な単語を書きなさい。

①How (　　) is the bank from here?
It's only 300 meters or so.

②I'm (　　) you have the wrong number.
Oh! I'm sorry.

③Thank you very much for helping us.
Not at (　　).
④(　　) me, where is the nearest bus stop?
Just around the corner.
⑤How (　　) does it take to get to New York?
About three hours.
⑥(　　) yourself to more icecream.
No, thanks. I'm full.
⑦Are you (　　) to order?
Yes, I'd like to No.2 lunch, please.
⑧Hello. Can I speak to Mr. Smith, please?
I'm sorry, but he is out now. Can I (　　) message?
⑨Hello. Is Jack there?
Yes, (　　).
⑩How (　　) do you exercise?
Usually once a week.

解答・解説

11 ①if ②Though ③soon ④dancing ⑤too ⑥can ⑦Without ⑧wish ⑨could ⑩had

[解説]①間接話法　②譲歩を表す接続詞　③as soon as ～で、～したらすぐに　④動名詞　⑤too…to ～で、～するにはあまりに…　⑥as…as＋代名詞＋canで、できるだけ…　⑦～なしでは　⑧～していたらなあ　⑨仮定法過去　⑩If it had not been for ～で、もしあの時～がなかったら、以上に注意して解く。

12 ①far ②afraid ③all ④Excuse ⑤long ⑥Help ⑦ready ⑧take ⑨speaking ⑩often

常識問題
4

社会

地理、歴史、公共、政治・経済、倫理など社会科の基本常識を復習しましょう

1 日本の県庁所在地　次の道府県の県庁所在地名を書きなさい。

①沖縄　②鹿児島　③山口　④広島　⑤島根
⑥香川　⑦兵庫　⑧京都　⑨滋賀　⑩三重
⑪愛知　⑫石川　⑬山梨　⑭神奈川　⑮埼玉
⑯群馬　⑰茨城　⑱宮城　⑲秋田　⑳北海道

2 各国の首都　次の国の首都名を書きなさい。

①アメリカ　②カナダ　③ブラジル　④中国
⑤韓国　⑥タイ　⑦インド　⑧オーストラリア
⑨イラク　⑩エジプト　⑪オーストリア　⑫ドイツ
⑬イタリア　⑭フランス　⑮ロシア

3 各国の通貨　次の国の通貨名を書きなさい。（重複可）

①中国　②イギリス　③インドネシア　④タイ
⑤韓国　⑥ドイツ　⑦スイス　⑧ロシア
⑨インド　⑩アメリカ　⑪アルゼンチン　⑫イラク
⑬カナダ　⑭フランス　⑮オーストラリア

ワンポイントレッスン

世界各国の首都名と通貨名

国名	首都名	通貨名	国名	首都名	通貨名
中華人民共和国(中国)	ペキン(北京)	人民元	エジプト	カイロ	(エジプト)ポンド
インド	ニューデリー	ルピー	オーストリア	ウィーン	ユーロ
インドネシア	ジャカルタ	ルピア	フランス	パリ	ユーロ
イラク	バグダッド	(イラク)ディナール	ドイツ	ベルリン	ユーロ
			イタリア	ローマ	ユーロ
大韓民国(韓国)	ソウル	ウォン	スイス	ベルン	(スイス)フラン
フィリピン	マニラ	ペソ	イギリス	ロンドン	(英)ポンド
サウジアラビア	リヤド	(サウジ)リヤル	ロシア	モスクワ	ルーブル
アラブ首長国連邦	アブダビ	ディルハム	カナダ	オタワ	(カナダ)ドル
タイ	バンコク	バーツ	アメリカ合衆国	ワシントンD.C.	(米)ドル
トルコ	アンカラ	(トルコ)リラ	アルゼンチン	ブエノスアイレス	ペソ
オーストラリア	キャンベラ	(オーストラリア)ドル	ブラジル	ブラジリア	レアル

解答・解説

1 ①那覇市　②鹿児島市　③山口市　④広島市　⑤松江市　⑥高松市　⑦神戸市　⑧京都市　⑨大津市　⑩津市　⑪名古屋市　⑫金沢市　⑬甲府市　⑭横浜市　⑮さいたま市　⑯前橋市　⑰水戸市　⑱仙台市　⑲秋田市　⑳札幌市

2 ①ワシントンD.C.　②オタワ　③ブラジリア　④ペキン(北京)　⑤ソウル　⑥バンコク　⑦ニューデリー　⑧キャンベラ　⑨バグダッド　⑩カイロ　⑪ウィーン　⑫ベルリン　⑬ローマ　⑭パリ　⑮モスクワ

[解説] 世界の代表的な国の首都名はしっかりと把握しておこう。アメリカの首都はニューヨークではないことに注意しよう。

3 ①ユアン(元)　②ポンド　③ルピア　④バーツ　⑤ウォン　⑥ユーロ　⑦フラン　⑧ルーブル　⑨ルピー　⑩ドル　⑪ペソ　⑫ディナール　⑬カナダ・ドル　⑭ユーロ　⑮オーストラリア・ドル

4 略語の正式名称

A群の略語に該当するものをB群より選び、その記号を（　　）に書きなさい。

〔A群〕			〔B群〕
①ＡＰＥＣ	（　　）	A	グリーントランスフォーメーション
②ＣＳＲ	（　　）	B	世界保健機関
③ＥＴＣ	（　　）	C	人工知能
④ＥＵ	（　　）	D	核不拡散条約
⑤ＧＸ	（　　）	E	持続可能な開発目標
⑥ＥＰＡ	（　　）	F	企業の社会的責任
⑦ＡＩ	（　　）	G	アジア太平洋経済協力
⑧ＪＡＸＡ	（　　）	H	自動料金収受システム
⑨ＳＤＧs	（　　）	I	最高経営責任者
⑩ＮＰＴ	（　　）	J	宇宙航空研究開発機構
⑪ＣＥＯ	（　　）	K	欧州連合
⑫ＷＨＯ	（　　）	L	経済連携協定

5 世界の国々

次の文章に該当する国名を（　　）に書きなさい。

①人口は世界第１位で、国民の８割がヒンズー教徒。（　　）
②ＥＵの中心的存在で、ヨーロッパ最大の工業国。（　　）
③地理的には北アメリカ、民族的にはラテンアメリカに属する。産油国で、ＵＳＭＣＡ加盟国。（　　）
④アフリカ最大の経済大国で、人口もアフリカ第１位。（　　）
⑤米の輸出国として知られる東南アジアの国。（　　）
⑥産業革命発祥の地。2020年、ＥＵを離脱。（　　）
⑦日本にとって最大の貿易相手国である。（　　）
⑧日本の石炭、鉄鉱石の最大の輸入相手国。（　　）
⑨国土面積世界第１位。2022年ウクライナに侵攻。（　　）
⑩世界第２位の面積。Ｇ７のメンバーである。（　　）

6 一般地理 次の各問いに答えなさい。

①日本最大の平野とは。 (　　)
②日本一長い川の長野県での名称は。 (　　)
③太平洋と日本海両方に面するのは北海道。もう１県は。(　　)
④日本で自動車産業が発達している東海地方の県は。 (　　)
⑤愛媛、和歌山、静岡でさかんに栽培される農産物とは。(　　)
⑥日本の四大工業地帯のひとつで関東にある工業地帯は。(　　)
⑦国内総生産(GDP)が世界第2位の国は。 (　　)
⑧ＥＵの本部のある都市は。 (　　)
⑨北アメリカ大陸で最も長い川は。 (　　)
⑩コーヒー豆の世界最大の生産国とは。 (　　)

解答・解説

4 ①G　②F　③H　④K　⑤A　⑥L　⑦C　⑧J　⑨E　⑩D
⑪I　⑫B

[解説] 新聞やニュースで取り上げられる略語の意味は覚えておこう。国際連合の機関の名称はかならずチェック。GX（グリーントランスフォーメーション）とは、経済産業省が提唱する脱炭素社会に向けた取り組みのこと。

5 ①インド　②ドイツ　③メキシコ　④ナイジェリア　⑤タイ
⑥イギリス　⑦中国　⑧オーストラリア　⑨ロシア
⑩カナダ

[解説] 米の生産量世界第１位は中国だが、多くは国内で消費される(2022年)。近年は米の輸出量世界第1位はインド、第２位がタイ。

6 ①関東平野　②千曲川　③青森県　④愛知県　⑤ミカン　⑥京浜工業地帯
⑦中国　⑧ブリュッセル　⑨ミシシッピ川　⑩ブラジル

[解説] 日本一長い信濃川は長野県内では千曲川と呼ばれる。

7 歴史上の人物

A群の事項について関係の深い人物をB群より選び、記号を（　）に書きなさい。

〔A群〕			〔B群〕
①大政奉還	（　）	A	ムハンマド
②ロシア革命	（　）	B	ガンジー
③憲法十七条	（　）	C	ルイ14世
④唐文化の最盛期	（　）	D	田中角栄
⑤日本の初代総理大臣	（　）	E	ヴァスコ・ダ・ガマ
⑥奴隷解放宣言	（　）	F	豊臣秀吉
⑦日中国交正常化	（　）	G	始皇帝
⑧イスラム教の開祖	（　）	H	厩戸王（聖徳太子）
⑨初の中国統一	（　）	I	レーニン
⑩邪馬台国女王	（　）	J	徳川慶喜
⑪ニューディール政策	（　）	K	リンカン
⑫太閤検地	（　）	L	伊藤博文
⑬フランス絶対王政	（　）	M	玄宗皇帝
⑭非暴力・不服従運動	（　）	N	卑弥呼
⑮大航海時代	（　）	O	ローズヴェルト

8 日本史・世界史

次の各問いに答えなさい。

①奈良時代、聖武天皇が都に建てた寺とは。（　　）
②辛亥革命によって成立した中国の国家の名称は。（　　）
③現在のイラクを中心におこった古代文明の１つとは。（　　）
④産業革命のとき、ワットによって改良された機関とは。（　　）
⑤太平洋戦争の開戦時において、日本軍が攻撃したハワイの湾の名称は。（　　）
⑥1600年に行われた徳川家康らと石田三成らによる「天下分け目」といわれた戦いとは。（　　）

⑦イスラム教における第一の聖地とは。（　　）
⑧13世紀末におこり、第１次世界大戦後に崩壊した中東にあった広大な帝国とは。（　　）
⑨日露戦争の勝利後、日本が建設した中国東北部の長春・旅順間の鉄道の名称は。（　　）
⑩アフリカが17か国も独立したのは西暦何年か。（　　）
⑪ロシア革命によって滅びたロシア帝国最後の王朝名は。（　　）
⑫桓武天皇が京都に建設した都とは。（　　）
⑬ルターやカルビンが起こした改革運動とは。（　　）
⑭第１次世界大戦後、アメリカ大統領ウィルソンが提案した国際平和のための組織とは。（　　）
⑮明治維新期に導入した教育改革とは。（　　）

解答・解説

7 ①J　②I　③H　④M　⑤L　⑥K　⑦D　⑧A　⑨G　⑩N
⑪O　⑫F　⑬C　⑭B　⑮E

[解説] 日本史、世界史の重要なできごとについては、だれが中心人物であったのかをしっかりとおさえておこう。また、日本人名、中国人名を書かせる問題も出題されるので、難しい漢字でも書けるようにしておきたい。

8 ①東大寺　②中華民国　③メソポタミア文明　④蒸気機関
⑤真珠湾（パールハーバー）　⑥関ヶ原の戦い　⑦メッカ
⑧オスマン帝国（オスマン=トルコ）　⑨南満州鉄道株式会社（満鉄）
⑩1960年　⑪ロマノフ（王）朝　⑫平安京　⑬宗教改革
⑭国際連盟　⑮学制

[解説] ②中華民国は1912年、中華人民共和国は1949年に成立。⑨通称「満鉄」と呼ばれた。⑩1960年は「アフリカの年」と呼ばれる。⑭国際連合（国連）は第２次世界大戦後の1945年に設立。

9 年代の並べ替え 次のA～Eの歴史的事件を、年代の古い順に(　)の中に番号を記入しなさい。

①A：日本の国際連盟脱退（　）　B：真珠湾攻撃（　）
　C：盧溝橋事件（　）　D：満州事変（　）
　E：ミッドウェー海戦（　）
②A：ナポレオン時代（　）　B：アヘン戦争（　）
　C：イギリス産業革命（　）　D：フランス革命（　）
　E：アメリカ独立戦争（　）
③A：大政奉還（　）　B：自由民権運動（　）
　C：戊辰戦争（　）　D：王政復古の大号令（　）
　E：薩長同盟（薩長連合）（　）
④A：ムガル帝国滅亡（　）　B：李氏朝鮮建国（　）
　C：イスラム帝国成立（　）　D：フランク王国成立（　）
　E：後漢が滅亡、三国時代になる（　）

10 日本の文化史 次の事項にあてはまる人物を（　）に書きなさい。

①細菌学者、黄熱病の研究（　）
②明治時代の小説家、『吾輩は猫である』『こころ』（　）
③物理学者、中間子理論、日本初のノーベル賞受賞（　）
④平安時代の女流作家、『源氏物語』（　）
⑤人形浄瑠璃、『曽根崎心中』（　）
⑥真言宗の開祖、高野山に金剛峰寺を建立（　）
⑦明治時代の小説家、軍医、『舞姫』『高瀬舟』（　）
⑧歌人、『新古今和歌集』『新勅撰和歌集』の編集（　）
⑨細菌学者、破傷風血清療法の発見（　）
⑩小説家、『羅生門』『河童』（　）
⑪浮世絵師、『富嶽三十六景』（　）
⑫明治時代の女流作家、『たけくらべ』『にごりえ』（　）

ワンポイントレッスン

日本現代史年表

年代	できごと	年代	できごと
1945	第2次世界大戦終わる	1965	日韓基本条約
1946	日本国憲法公布　財閥解体	1968	小笠原諸島、日本に復帰
	農地改革　婦人参政権	1970	大阪万国博覧会
1947	教育基本法　学校教育法	1972	沖縄復帰　日中国交正常化
	独占禁止法　労働基準法	1973	第1次石油危機(オイルショック)
	六・三・三・四制の学制実施	1978	日中平和友好条約
1949	湯川秀樹、日本初ノーベル賞	1992	PKO協力法成立
1950	警察予備隊創設(→54自衛隊)	1995	阪神・淡路大震災
1951	サンフランシスコ平和条約	2009	裁判員制度始まる　民主党政権誕生
	日米安全保障条約	2011	東日本大震災
1953	テレビ放送開始	2012	政権が民主党から自民党に
1956	日ソ国交回復　国際連合加盟	2020	新型コロナウイルス感染症世界に広がる
	この頃、高度経済成長始まる	2021	東京2020オリンピック・パラリンピック
1960	日米安全保障条約改定	2022	成年年齢を18歳に引き下げ
1964	東海道新幹線開通　東京オリンピック	2024	能登半島地震

解答・解説

9 ①A－2、B－4、C－3、D－1、E－5　②A－4、B－5、C－1、D－3、E－2　③A－2、B－5、C－4、D－3、E－1　④A－5、B－4、C－3、D－2、E－1

[解説] 年代の順序を問う問題はなかなか難しい。中学校の歴史の教科書や参考書のレベルで十分なので、年表で主なできごとの年代をチェックしておこう。

10 ①野口英世　②夏目漱石　③湯川秀樹　④紫式部　⑤近松門左衛門　⑥空海（弘法大師）　⑦森鷗外　⑧藤原定家　⑨北里柴三郎　⑩芥川龍之介　⑪葛飾北斎　⑫樋口一葉

[解説] ②他に『坊っちゃん』『草枕』『三四郎』『それから』なども有名。⑤元禄文化の代表的人物。『好色一代男』など浮世草子を書いた井原西鶴と混同しないように。

11 政治・経済(1)　次の記述のうち正しいものには○、誤っているものには×を記入しなさい。

①日本国憲法は日本国の根本法規、最高法規であり、種類としては成文憲法、および欽定憲法になる。

②国民の権利は公共の福祉にとらわれることなく、いかなる場合でも尊重されなければならない。

③基本的人権のうち、不合理な差別を受けない権利は、自由権に属する。

④地方行政の執行機関は、都道府県および市区町村議会である。

⑤日本の選挙の４原則とは、普通選挙・秘密選挙・平等選挙・直接選挙のことである。

⑥現在の衆議院議員の選挙方法は、中選挙区と比例代表制を組み合わせた、中選挙区比例代表並立制である。

⑦衆議院は任期が４年と短いが解散がなく、参議院は任期が６年と長いが解散がある。

⑧法律案や予算の議決、内閣総理大臣の指名においては衆議院の優越があるが、内閣信任・不信任決議権は参議院のみにある。

⑨裁判員裁判では、裁判官３人と裁判員６人で被告人の有罪・無罪の決定と量刑を判断する。

⑩自由市場においては、需要が供給を上回っていれば価格が上がり、需要が供給を下回っていれば価格は下がる。

12 政治・経済(2)　次の文章中の（　　）内にあてはまる語句を書きなさい。

①日本国憲法の３大原則とは、国民主権・基本的人権の尊重・（　　）である。

②基本的人権は、国家権力でも奪えない（　　）の権利であり、将来の国民にも保障される永久の権利である。

③国民の３大義務とは、保護する子どもに普通教育を受けさせる義務、勤労の義務、（　　）の義務である。

④基本的人権の社会権のうちの（　　）権は、憲法で「健康で文化的な最低限度の生活を営む権利」と規定されている。
⑤国会には毎年１回召集される常会、臨時に召集される臨時会、衆議院の解散総選挙後、（　　）日以内に召集される特別会がある。
⑥衆議院が内閣不信任案を可決し、（　　）日以内に内閣が衆議院の解散を決定した場合、総辞職しなければ、衆議院は解散となる。
⑦内閣が議会の信任の上に成立し、議会に対して責任を負うしくみを（　　）制という。
⑧第一審の判決に不服な場合、上位の裁判所に裁判のやり直しを求めて訴えることを（　　）という。
⑨物価が継続的に下落し、貨幣の価値が上昇する状態を（　　）という。
⑩日本銀行の金融政策では、景気が過熱しているときには、一般の金融機関への金利である基準割引率および基準貸付利率（旧公定歩合）を引き（　　）げる。

解答・解説

11 ①×　②×　③×　④×　⑤○　⑥×　⑦×　⑧×　⑨○　⑩○

[解説] ○×式の正誤問題はよく出るので注意。①欽定（きんてい）憲法は君主が定めた憲法。日本国憲法は国民が定めた民定憲法となる。②公共の福祉とはみんなの幸福のこと。国民の権利は公共の福祉に反しない限り、最大限に尊重される。③平等権に属する。④執行機関は地方公共団体の首長である都道府県知事および市区町村長である。⑥中選挙区でなく小選挙区。⑨刑事裁判が対象となる。

12 ①平和主義　②不可侵　③納税　④生存　⑤30　⑥10　⑦議院内閣　⑧控訴　⑨デフレーション（デフレ）　⑩上

[解説] ④社会権は人間らしい生活を要求する権利である。⑤⑥日数を問う問題。衆議院の解散後40日以内に総選挙。その後30日以内に特別会が召集される。⑧第二審の判決に不服な場合は上告を行う。

13 経済学説等

次のA群の人名と関係の深い事項をB群から選び、記号を（　）に書きなさい。

〔A群〕			〔B群〕
①ベンサム	（　）	A	有効需要の理論
②アダム＝スミス	（　）	B	『経済発展の理論』
③ジェームズ	（　）	C	『経済学原理』
④ケインズ	（　）	D	『資本論』
⑤マルサス	（　）	E	比較生産費説
⑥マルクス	（　）	F	空想的社会主義
⑦リカード	（　）	G	プラグマティズム
⑧オーウェン	（　）	H	最大多数の最大幸福
⑨シュンペーター	（　）	I	『人口論』
⑩マーシャル	（　）	J	『国富論』

14 思想・哲学

次の文章中の〔　〕の中で正しいものを選び、記号で答えなさい。

①〔ア.プラトン　イ.ソクラテス〕は自分が無知であることを知ること（無知の知）を説いた。

②〔ア.性善説　イ.性悪説〕の立場に立つ孟子は、人々に仁義の道を説いた。

③〔ア.旧約聖書　イ.新約聖書〕は、救世主イエスの説く神の愛は、無差別・無償の愛で、永遠の愛であるとする。

④〔ア.カント　イ.デカルト〕は、「われ思うゆえにわれあり」という真理に到達した。

⑤〔ア.ロック　イ.ホッブズ〕は、契約に反する政府に対して、国民は抵抗権・革命権をもつとした。

⑥モンテスキューは〔ア.『社会契約論』　イ.『法の精神』〕を著し、立憲君主制と三権分立の理論を展開した。

⑦ヘーゲルの説いた〔ア.弁証法　イ.演繹法〕によれば、すべての

ものは、「正」「反」「合」の段階を経て発展する。

⑧キェルケゴール、ニーチェ、ハイデッガー、サルトルなどの哲学者の思想は、〔ア.ドイツ理想主義　イ.実存主義〕に属する。

15 環境問題 次の各問いに答えなさい。

①2050年までに温室効果ガスの排出量と吸収量を均衡させる取り組みを何というか。

②深刻化している海洋プラスチックごみの問題で、特に微細なプラスチックごみを何というか。

③車を個人ではなく、登録を行った複数の人で共同利用する仕組みを何というか。

④循環型社会での３Ｒとは、リデュースとリユースともうひとつは何か。

解答・解説

13 ①H　②J　③G　④A　⑤I　⑥D　⑦E　⑧F　⑨B　⑩C

[解説] 代表的な経済学者とその著作、および功績を覚えておきたい。
②アダム=スミスは「見えざる手」によって経済は調整されるとして、自由放任主義を主張した。

14 ①イ　②ア　③イ　④イ　⑤ア　⑥イ　⑦ア　⑧イ

[解説] ②性悪説に立つのは荀子（じゅんし）。⑥『社会契約論』はルソーの著作である。⑦演繹（えんえき）法はデカルトによって確立された。

15 ①カーボンニュートラル　②マイクロプラスチック　③カーシェアリング　④リサイクル

[解説] ④リデュースは廃棄物を減らす、リユースは再使用、リサイクルは再生利用することをいう。

本文デザイン　たじま はる
編集協力　下村良枝・植木あみ子・林 茂夫
平野誠子・㈲ウィッチハウス
㈱稲穂堂・オフィス エル

本書に関する正誤等の最新情報は、下記のURLをご覧ください。
https://www.seibidoshuppan.co.jp/support

上記アドレスに掲載されていない箇所で、正誤についてお気づきの場合は、書名・発行日・質問事項（ページ・問題番号など）・氏名・郵便番号・住所・FAX番号を明記の上、郵送またはFAXで、成美堂出版までお問い合わせください。

※電話でのお問い合わせはお受けできません。
※本書の正誤に関するご質問以外はお受けできません。また受験指導などは行っておりません。
※ご質問の到着確認後10日前後に、回答を普通郵便またはFAXで発送いたします。
※ご質問の受付期限は、2025年の10月末日までといたします。ご了承ください。

高校生の就職試験 適性検査問題集 '26年版

2024年12月1日発行

編　著　成美堂出版編集部
発行者　深見公子
発行所　成美堂出版
〒162-8445　東京都新宿区新小川町1-7
電話(03)5206-8151　FAX(03)5206-8159
印　刷　壮光舎印刷株式会社

ISBN978-4-415-23905-7
落丁・乱丁などの不良本はお取り替えします
定価はカバーに表示してあります